スケッチジャーナル・ビギナーズ

Sketch Journal BEGINNERS

「ありのまま思考」の創作ノート

ハヤテノコウジ

GB

すだちのさわやか
な酸味が体にし
みわたるうれしさ。
夕暮れ時の鴨川デルタを眺める
夕陽を見にいく。
イラストを描き終えた日曜日

スケッチジャーナルって
こんな感じ！
KAMAKURA ZAIMOKUZA
BINDING
GLAMPY
PLA-CUP

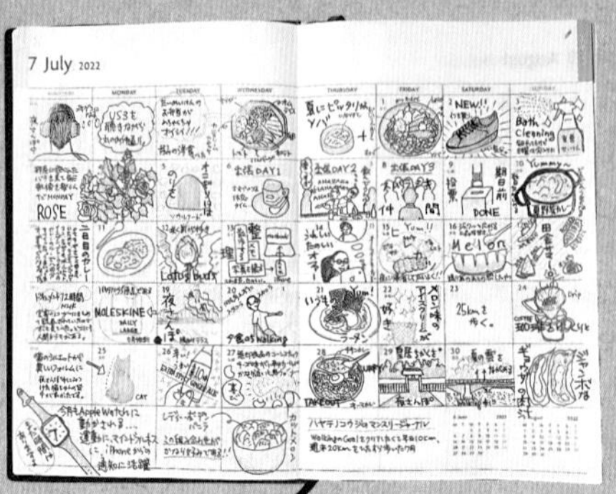

この一年でたくさんの方がスケッチジャーナルを始めてくれました。自分のSNS投稿は減りましたがエゴサーチは毎日しています。二年目はそんな皆さんと一緒になって創作したりスケッチ散歩に出かけます。よろしくです。

1st anniversary from release of my sketch journal book

スケッチジャーナルの本は2022年6月22日で1歳のバースデーです。

20220622

Sketch Journal
自分の暮らしに「いいね!」する創作ノート（ジー・ビー刊）
ハヤテノコウジ著
素人から独自のアートを生み出した20年分を積めた技法書

祝✿一周年
本当にありがとうございます

一年がはやすぎますね

ジー・ビーさんから出版された、ハヤテノコウジの二冊目の書籍『スケッチジャーナル 自分の暮らしに「いいね!」する創作ノート』は二〇二二年六月二十二日に発売されました。今年の六月二十二日でちょうど一周年を向かえます。この本を手に取って読んでくれた方、手元に寄せて下さった皆さん、心から感謝しています。

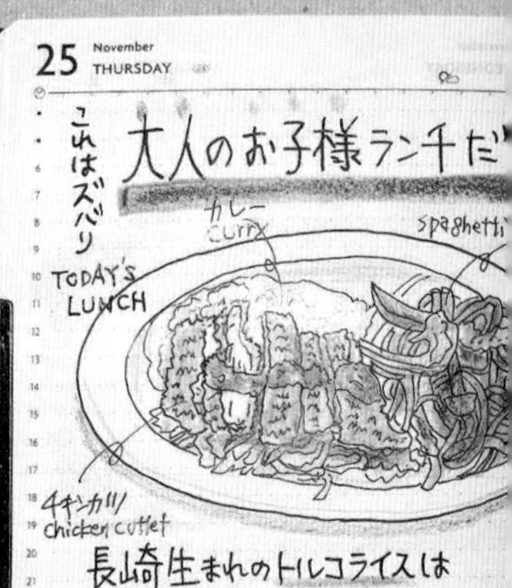

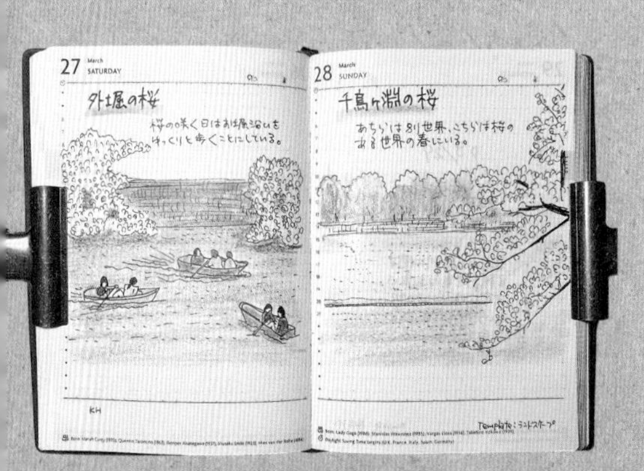

スケッチジャーナルってこんな感じ！

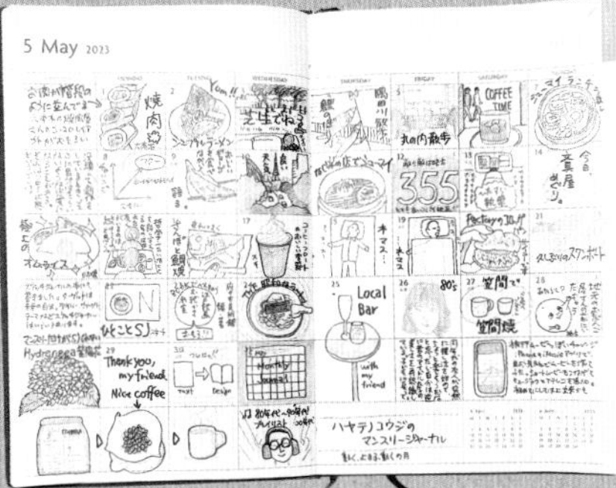

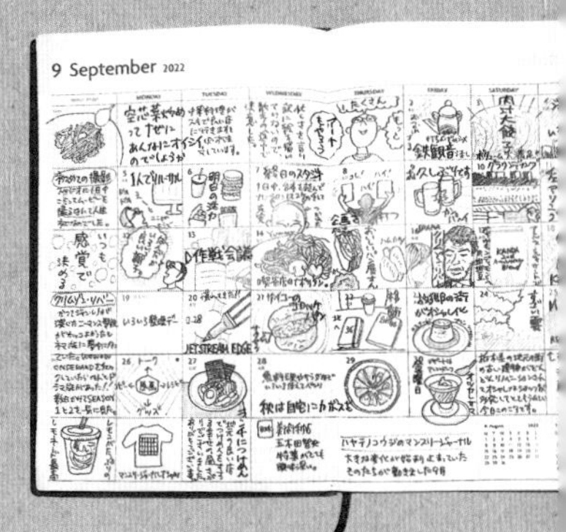

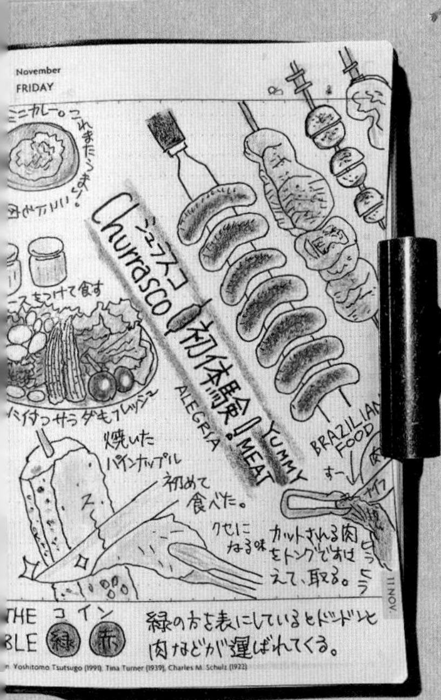

SATURDAY
October
29
CAFEをハシゴしてMonthly Journal
I love Ice Lemonade
9月分を10月末に描く人
もともとマンスリーのスケッチジャーナルはまとめて一気につくる派なので、あわてないでゆっくりと描いています。カフェを2軒まわり、2.5Hほどで完成しました。ちょうどどちらのお店もはしの席だったので集中することができたのが良かったです。全てのマスが埋まる満足感がうれしい。
下ごしらえは済んでいた
実はその日に何をスケッチするか、の構成はやってありました。いつも持ち歩くネタ帳(ボクはゼロノートと呼ぶ)にテキトーにカレンダーのマスをつくり、日付を記してマスの中にタイトルとラフスケッチを描いておく。スマホの写真と三行日記(毎日をポジティブに解釈してから記録)があればだいたい思い出していきます。
記憶を再起動するのは楽しい。
KH

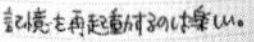

ただでさえチーズバーガーが好きなのにしかもクアトロになっていてマッシュルームとコラボした味にうなる。カボチャを食べているような濃厚なタルトもホイップクリームと和のソースが相性してエクセレント。他にも雑貨屋シリメでクッキーも買ったり、夜パフェのお店が気になったり。

五月六日（土）
ティラミスの島
清澄白河
ふらっと入ったカフェで大好物のティラミスを注文したら、まるで岩と海を箱庭にしたような芸術作品がやってきた。味もまた良し。おいしくいただいた。 K.H

五月五日（金）

ビルの谷間ガーデン

東京のオフィス街である大手町〜丸の内は各ビルが趣向を凝らした自然の表現をしてくれるので、見て歩くととても楽しい。美しい。 KH

STABILO® pointball®
8th Week
19
26
27
2月開店

スケッチジャーナルってこんな感じ！

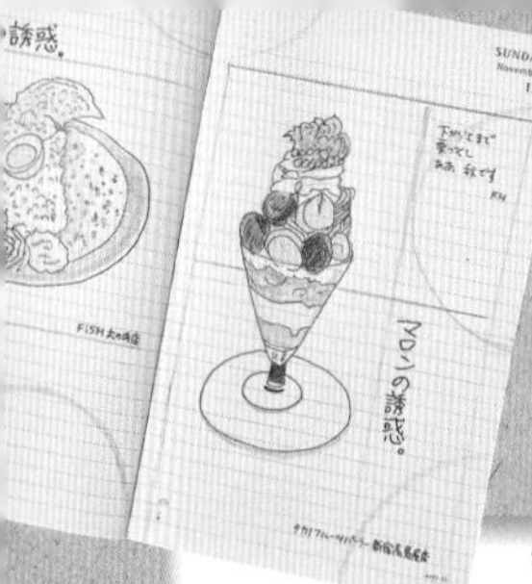

スケッチジャーナル・ビギナーズ 説明書

「ありのまま思考」の創作ノート

特徴

- 人生を前向きに記録する創作活動
- 初心者から上級者まで楽しめるホビー
- 文具や画材で気楽に取り組める

効能

整心 ── 精神を整える
自己受容／自己肯定／ポジティブ転換
書く・描く瞑想

発見 ── 自分自身を見つめ直す
自分の好み／ゴール・ミッション
判断軸の明確化

行動 ── モチーフを探求する
目標を前提とした行動・
ネタ探し・取材

用法・用量

前向きに解釈できたものを描く
よい→もっとやるリスト
わるい→もうやらないリスト

無理に他人に見せない・無理しない
見せたい場合は見せてもよい
義務感はいらない

成分

文学／コラム・エッセイ／書籍／日記
ドキュメンタリー／詩／短歌／俳句
海外旅行記／散歩日記／街のガイド
グルメ／飲食店日記／趣味日記／育児
ペット／映画／推し活帳／ファッション
アート／ビジュアル絵画スケッチ
水彩画／アクリル画／写真／コラージュ
アルバム／スクラップ／ZINE／図解
イラスト／コミックエッセイ／漫画
4コマ漫画 等

保管および取扱上の注意

目次をつくる／保管リストをつくる
本棚での陳列／作品ボックス内での保管
経年劣化による留め具のゆるみ、
背表紙の破損

包装

手帳・ノート/文具・画材

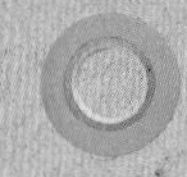

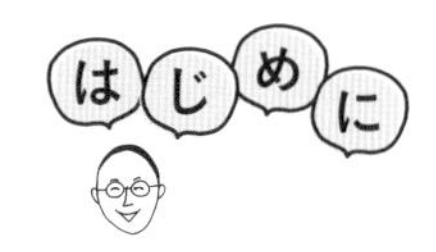

絵を描きたい！ を応援する本です

手描き系イラストレーターのハヤテノコウジです。スケッチジャーナルに興味を持ってくださり、ありがとうございます。私は美大を出たわけではなく、アート専門学校で学んだわけでもなく、**ただ楽しく描いて描いて描き続けていたら、イラストレーターの仕事ができるようになりました。しかもサラリーマンをやりながらです。**

東京近郊の80店舗の文具店を自分で取材して、手描きイラストと文字で紹介するガイドブックを作りました。これは今年、韓国版も出版されました。そしてこの本のテーマである、私がライフワークとして実践し続けてきたスケッチジャーナルに関する分厚い本も作りました。私は日中は会社員として仕事をしています。平日の帰宅後と休日がイラストレーターとしての業務時間です。毎日とても忙しいです。のんびりする暇はありません。遊びの旅行にもなかなか行けません。パラレルキャリアに休日はないのかも。もうすっかり慣れましたけどね。

この本をざっくり紹介すると、ずっとアートや絵が好きだったけれど、なんだか最近は自分でも描きたい気持ちになっている。そんなあなたのための、新しいクリエイティブ思考の提案書です。さて**この本には、あなたの毎日がとてつもなく輝いてしまうアイデアを詰め込んでいます**。自分の楽しい思い出はもちろんのこと、そうでないこともポジティブに切り取ることができるようになるはずです。山あり谷ありの人生を送ってきた私が、約20年間の創作と考察と試行をかけて実証してきた、手帳やノートに絵を描くヒントを、たっぷりと紹介しています。たぶん読み終わったあとには、あなたは文具店や画材店に駆け込みたくなるでしょう。

自分の人生の歴史書となる「スケッチジャーナル」

スケッチジャーナルは、手帳やノートを舞台に、さまざまな文具や画材などでビジュアル表現を行う創作スタイルの総称です。「手帳やノート等の身近なツールを使って、作者の人生を記録する日誌（Journal）」と定義しています。紙とペンがあればすぐにスタートできます。写真を貼ったりマスキングテープを使ったり、楽しいスタンプやステッカー、写真を貼るのもOK。手帳・ノートと材料、手法を組み合わせれば、楽しみ方は無限です。**あなたの日常の思い出や旅の記憶、大好きなものを手描き文字とスケッチ、コラージュなどで表現する創作スタイル**です。

スケッチジャーナルを続けると、何が良いのでしょうか。

1つめは「自分の価値の再発見」です。ワクワクを記録することは、自分の暮らしに「いいね！」を押すことになり、自己肯定感が高まります。2つめは「比較しない」が習慣化すること。明日の自分に読んでもらうために絵を描く、自分らしい線と文字の味わいを感じる。自分の軸が際立ってくるでしょう。3つめは「共感とのつながり」です。同じような趣味を持つ人、さらには自分の作品を通じてワクワクを分かち合える人との出合いにつながります。

スケッチジャーナル活動は自分でも驚くほどに、あなたを行動的にしていきます。アート、文化、食などの体験に深みが増していきます。スケッチジャーナル活動を入り口にして、自分の境界線を次から次へと超えていく人もいるかもしれません。

スケッチジャーナルの効能

人生の濃度が上がる。

「自分の人生ってこんなに濃かったのか」と自分の選択と行動の結果を振り返る機会が増える。

→ **自分の環境に対する興味・関心が湧いてくる**

‖

自分自身が読み物になり、毎日が**楽しい生活**に変わる

「ありのまま」思考が あなたを前進させます

「絵心がない私でも、描けますか」という質問を受けることがあります。絵心ってなんでしょうね。絵心がないと宣言される人の話を聞くと、実際はあまり絵を描いていない場合が多いので、想像上の比較をしているのかもしれません。理想を高く持って、自分だったらこう描くべきだとか、「あるべき自分」を追求する人がいます。もちろん目標を持って努力されるのはとても素敵なことです。

一方でとにかく夢中で描いて、SNSで公開して、どんどん創作を楽しんでいる人たちもいます。観察してみると「ありのままの自分」で描いた自分の絵が好きなので、日常を描くのが楽しくて仕方がないようです。

人と比較しないで、ちょっと先の自分に向かって作る。**自分が読者の設定なので、絵がうまいとかヘタだといった技量について考える必要はありません。**私自身の絵は線がブレブレでまっすぐ引けないし、丸は歪んでいるし、字は癖があり場合によっては読めないと言われることもありますが、自分の絵と文字が好きです。でもそれって、ラッキーなんです。実は。今はデジタル社会なので、すぐにコピーされてしまう。AIの描く絵を見たことがありますか？　すごすぎますよね。

一方で**自分らしい表現を目指していけば、応援してくれる人たちが現れます。**わざわざこちらに向かって「お前の絵は癖があってきらいだ」という人も1人や2人は出てくるかもしれません。でもその100倍は「あなたの絵が好きだ。なんだかクセになる」と思っている人がいるでしょう。

スケッチジャーナルの効能

上手じゃなくても続けられる。

絵を描く目的を、絵の技術レベルを上げることではなく、
自分が主役の創作活動を楽しむ方向に転換する。

＝

絵が上手である必要がなくなり、絵に対する気が楽になる

▼

どんどん作品が生まれる

小さい絵の積み重ねで見つかる「らしさ」

SNSが普及して、見なくてもいいはずの他人の人生がスマートフォン越しに見えるようになりました。**今日あなたはどれだけ、自分のことを考えましたか？** スマートフォンを見る時間は先週より増えましたか？ 減りましたか？ 集団の中の自分を考え、調和のことばかりを考えて、心が窮屈になってはいないでしょうか？ そこから少しずつ離れていく必要があるかもしれません。

毎日をちょっとずつ変えていくコツがあります。それは**自分の暮らしに「いいね！」する**です。自分の暮らしを祝いましょう。自分自身を取材して自分のためのスケッチジャーナルを作る。宇宙に1冊だけの、とてつもなくパーソナルな1冊の本を仕上げましょう。考えただけで、私までワクワクしてしまいます。

楽しみの源がわかってくると、望まない現実も鮮明に見えてきます。感謝すべきことがわかってきます。最初はポジティブに寄って、ときどきネガティブに揺れてしまいますが、最後にはニュートラルな状態に落ち着きます。私は長い期間にわたってスケッチジャーナルを続けてきて、創作によって落ち着いてくるココロの状態が好きになりました。

スケッチ時間の集中力によって雑念が消えていく経験や、過去のワクワクを思い出して喜ぶ習慣――スケッチジャーナルがきっかけとなって、誰かと仲良くなる喜びなどを積み重ねてきた結果、穏やかな状態に到達しました。「今、ここにいる」というリアルタイムの価値を大切にしたいですね。

スケッチジャーナルの効能

本当の自分に、戻れる。

デジタルまみれの 自分を無くして	仕事だらけの 自分を無くして	つながり疲れの 自分を無くして
アナログに まみれる	ちょっとだけ 芸術に触れる	ひとりで リラックスする

＝

創作活動に集中でき、時間を忘れて没頭を楽しめる

さあいっしょに描き始めましょう

かつては私も自分の置かれた状況を呪い、愚痴を言ったりブラックなことをノートにつづったり他人のせいにしたりと、荒れていた時期があります。働きすぎて外科病棟に入院してしまった時、突然、絵が描きたくなりました。スケッチブックを買ってきてもらって、病院の様子をスケッチしていました。そんなふうに、絵を描くのは中学の美術の授業以来のことです。愉快なイラストルポに仕上がった病院観察日記は、残念ながらどこかで紛失してしまいました。

退院した年から20年間、スケッチを続けています。自分にとって絵とは、コミュニケーションのためのシグナルのようなもので、この絵を好きと言ってくれる人たちを引き寄せています。価値観を共有できる人たちと、より楽しい創作をしたいと、真剣に考えるようになったので、この本を作りました。

この本の前半は、スケッチジャーナルを習得するステップについて紹介しています。これは順番通りに進めてください。後半は、テクニックや事例などの参考情報を紹介しています。必要に応じてどこからでも読むことができます。

あるべき自分の絵より、ありのままの自分の線と文字を楽しむ。そんな決意を全力で応援します。

INDEX
Sketch Journal
BEGINNERS

Chapter

現在（いま）を とことん楽しむ

スケッチジャーナルは４つのモードでできており、
すべてのモードで創作活動を楽しむことができます。

GOOD
NICE
TODO
TASK
会
議
チャット作戦
チョコレート
修正
久しぶりにチャーハン弁当をゲットできた!!
部屋の桜に癒されて
原稿修正の日々です
実家のある街は江戸時代に栄えて蔵が多く、スターバックスもそれに合わせて渋いつくりになっていてカッコイイです。
がんばるよ
スウィーツ食べて
脱力。
ちょっとだけしてみる
三大好物
コロッケ
ちょっとだけダラダラした
YUM
大好物でのり弁
原稿を修正します
灯してみたい
実家のある街の灯籠
ありがたや〜
タルトのお店でティラミスなタルトもいただく
スウィーツは正義
本づくりの学び①
使ったアイテム、制作手順、キャプションは記録しておく
本づくりの学び②
創作意欲と集中力を信じてリラックスする
本づくりの学び③
もっと良くする、もっと良くするの要求に応える
BOOK
信じて……
良い本ができると
イワシのかば焼き弁当
貼らないカイロ
こっちのがスキ
野菜が届いたよ
筆ペン画にハマった
1ヶ月分のMJま
コーヒーロースターの鎌倉
チーズケーキが大好物
スライドづくりはかどる
仮眠
遊園地を眺める
POWER!!
家の花
今日のランチ
肉絲
青椒
大好物である!!
自分
お客
バリューを考える
WOWOW
渡り鳥がいっぱい
肉厚なバーガー
このご時世でいろいろなレストランがテイクアウトをスタート
コーヒー+シュークリーム
オンラインで効率化
はとてもおもしろい

4つのモードを
まずは知る

描きたい未来を想像してプランを立て、それを実現。続けてループすることで、どんどん自分が好きになる。究極の自己満足が、自己肯定感を高めてくれます。

スケッチジャーナル活動は、**大きく分けて4つのモードをループします**。モードとは作業の状態を表します。ループとは「輪っか」という意味で、ループする、というのは同じ行為が繰り返されることを意味します。

最初が「探索モード」で、ある目標を立てたあとの情報収集段階です。**描きたい、行ってみたい、食べてみたい、などの欲求が芽生えているので、実際に絵を描くためにはどうすればいいかを検討しています**。例えば友人が食べたというフルーツたっぷりの賑やかなパフェの写真を見た時、自分も食べたいと思うのが普通だと思います。それがスケッチジャーナル制作を続けていると「食べたい」に加えて「描きたい」という気持ちも発動します。

次に「行動モード」へ。実際にフルーツパフェを食べるためにお店に行きます。仮にどうしても**1人で行きづらい場合は、そのために家族につきあってもらったり、友人を誘ったりしてもいいでしょう**。そしてお店では迷惑にならない程度にそのパフェを撮影したり、メニューのタイトルや説明をノートに書き写したり、実際に食べて感想を記録したりします。取材気分になるのです。

続いて「創作モード」になってパフェの写真を見ながらスケッチに集中。描き終えたあとは「評価モード」になり、完成した作品を眺めながら、実際に食べに行くという行動をとったことや食べ終えたあとに満足した結果などを振り返り、「自分の暮らしもなかなか素敵じゃないか」と実感するなどして自己肯定感が高まっていきます。

スケッチジャーナルの4つのモード

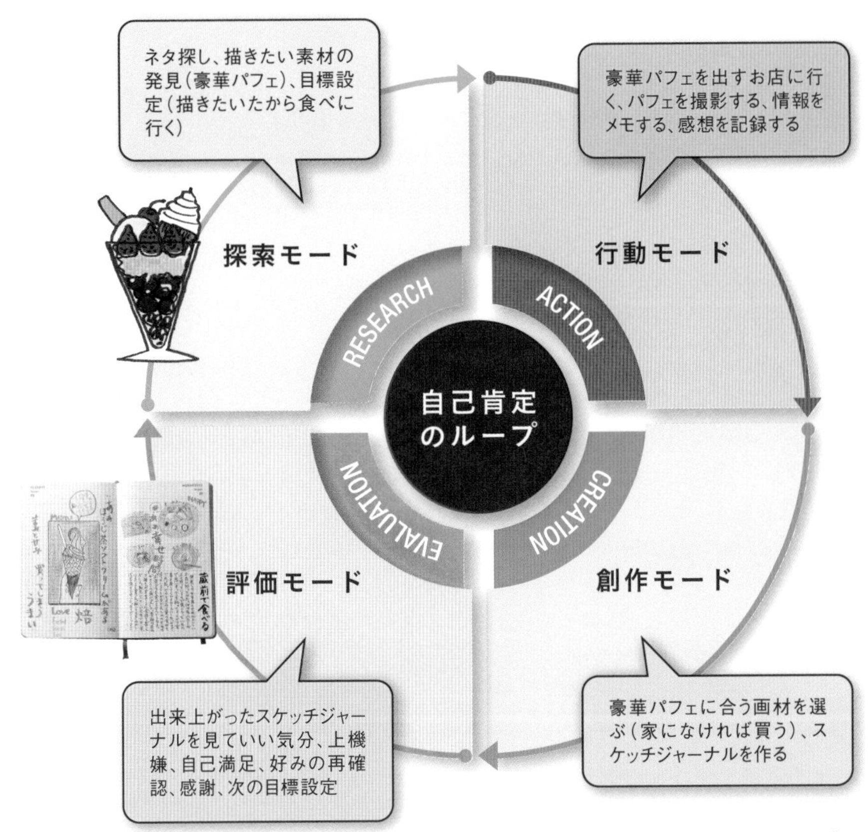

行動モードや創作モードをイメージしながら、まずは探索モードでネタ探し。実際に行動して創作したら、評価モードで究極の自己満足。次の「素敵」を実現したくなったら、それはもう、探索モードの始まりです。

「今日はパフェを食べた」という状況ではなく「週末はパフェを食べにいく、そしてそれをスケッチする」という設定をしたあとでの目標達成なので、喜びも倍増します。自分の興味関心に合わせて複数のループが走り、きっと自分の暮らしに創作思考が広がっていくのを感じられることでしょう。次のページからは4つのモードについて詳しく説明していきます。

探索モードで
未来をスケッチしよう

「今日あったこと」をなんとなく描き始めるよりも
「行きたい」「食べたい」「欲しい」「描いてみたい」
から始めましょう。

描く内容は行動する前に決めておく

　スケッチジャーナルを作る時、モチベーション維持はどうすればよいのですか、と質問されることがあります。私の回答は決まって「**精神的なモチベーションよりも、単純明快な目標を立てると創作が続きます**」というもの。例えば「このノートの全ページを埋めたい」というのはとてもわかりやすいですね。「カレンダーページやウィークリーページの枠を埋めたい」も簡単です。枠があったら埋めたい、というゲーム感覚も生まれます。さらに継続を後押しするポイントをご紹介します。

ページを予約するということは、そこに何を描くのかはほぼ決まっている状態。あとは現地に行ってみて、ほかにも描きたいものがあるのかないのか、想像した通りに描くのがベストなのか、考えをめぐらせるのも楽しみのひとつ。

ハヤテノの休日のページは、数カ月先まで欲望まみれだったりします。

それは絵日記やブログの発想を逆にする方法です。その日に起きたことをなんとなく、何でも、そのまま、毎日描くという基本的なスタイルを逆にします。わかりやすく言うと**事前にその日にそのページに描く内容を決めてから、行動する**という考え方です。ページを予約するということですね。

「何を描こうかな」と悩み始めると大変なので、まず未来を構想して、その上で体験して、その思い出を解釈してから描いていきましょう。やり方はシンプルです。友達が食べていた美味しそうなものを自分も食べに行きたいな、と思ったら次の休日のページに鉛筆で予定を書いておきます。実際にスケッチジャーナルに描くためにお店に行って、ネタを集めてから三行日記にまとめる、といった流れは行動モードで詳しく説明します。

あらかじめ自分が体験したい内容を構想しておいてから行動し、スケッチジャーナルにまとめるという方法を採用することで、その単純な目標に引っ張られる感じでページが埋まります。「頑張って絵を描こう」という努力が必要な目標よりも、欲望から始まる目標の方が取り組みやすいのではないでしょうか。未来をどのようにセットするかで現在が変わってきます。食べたいものを頭の中で、今、創造する。それだけで、ちょっとワクワクしてきませんか？

未来をセットして心を躍らせる

創作モードに至るまでのステップは「やってみたい（PLAN）」と「やってみた（DO）」に「どうだったか（SEE）」を加えた３つです。ここで注意したいのは、「スケッチジャーナルを作るために、これは食べに行った方がいいだろう、見に行った方がいいだろう」はダメ、ということ。これでは「Have to （しなければならない）」という義務感になってしまいます。実際に構想しても、行動しても、楽しくない体験をするリスクがあります。それよりももっと心が躍るような「Want to（したい！）」という欲求がある未来を選んでください。

※行動と解釈の詳細は「行動モード」（P.048 ～）を参照ください。

私の経験でも、義務感やいろいろな思考や思惑が入った行動を選択して後悔したことが何度もあります。直感を信じましょう。そしてたとえ余暇の過ごし方や趣味の時間であっても、ビジネスでは当たり前の効果検証と改善を行なっていくことで、より良い創作を体験できます。ぜひ試してみてください。

探索の準備をしよう

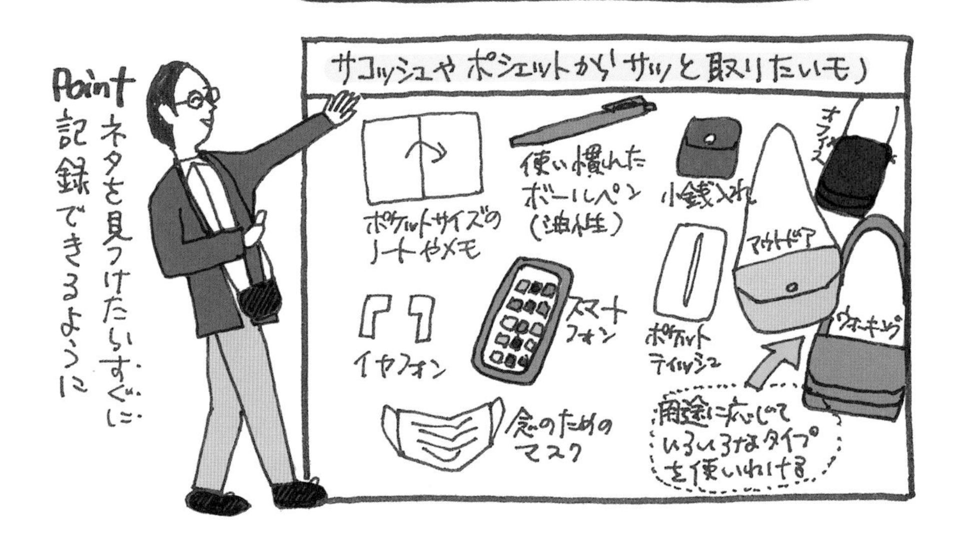

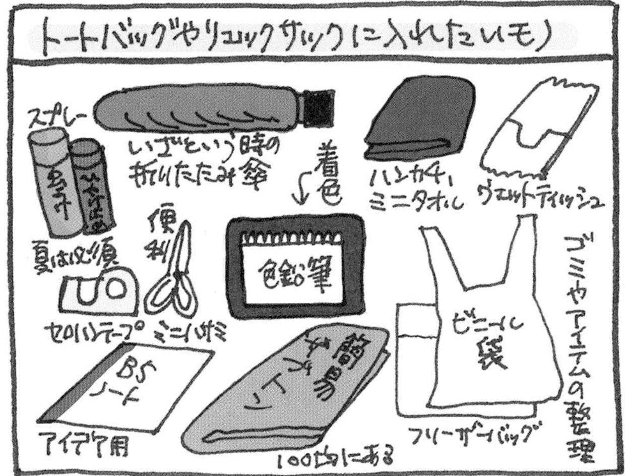

ネタになりうる３つのテーマ

次はテーマの選び方について解説していきます。手帳型のスケッチジャーナルを運用している場合は、最終目標は「すべてのページを埋める」です。365日分のスペースにどうやってコンテンツを配置していくのか。だんだん空白が目立ってくると、モチベーションや自己肯定感が低下するリスクがあります。なんとしてもそれを避けたいですね。空欄のページも許容してしまうほど自由な創作活動ではありますが、おそらく多くの人は空欄のままでは我慢できないと思うので、ページを埋めるための創意工夫を取り入れていきましょう。

手帳型のスケッチジャーナル（マンスリージャーナル）の日々のテーマは、大きく分けて３つ。**１つめは「記憶：その日の出来事のかけら」**です。記憶、写真、メモ、会話、SNSの投稿、メッセージアプリのデータ、日記の一文、感情、買ったもの、もらったもの、映像、資料など、その日の記憶を振り返って枠を埋めていきます。

２つめは「好物：好きなモノ・ヒト・コト」です。お気に入りのアイテムや推しているアイドルやミュージシャン、好きな食べ物、はまっている趣味、好きなブランドやファッション、お気に入りの街、

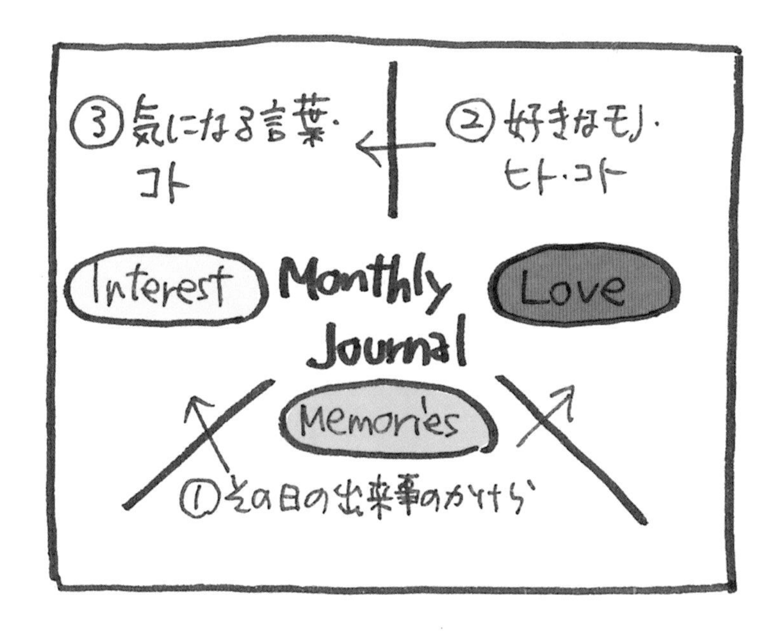

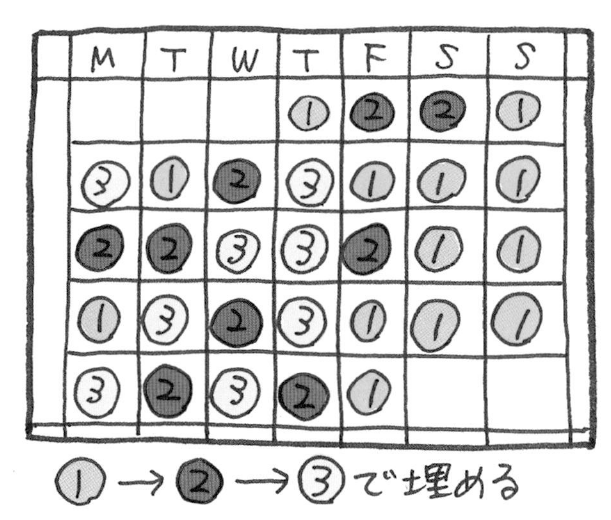

同じ内容が続きすぎないよう、3つのテーマをローテーションすれば、
マンスリージャーナル全体のバランスもso good！

映画、音楽、漫画、ゲーム、ペット、お笑い芸人など自分の好みを空いている枠に描いていきます。

3つめは「関心：気になる言葉、コト」で、記憶と好物で埋まらなかった枠やページに配置する最終手段です。

偉人の名言、好きなことわざ、フレーズ、自分の気づきから目撃したこと、発見したこと、願望、告知などなんでもいいので気になることを使います。「そんなものは記憶ではないのでは？ 日記とは呼べないのでは？」と思うかもしれませんが、スケッチジャーナルはあくまで自分自身がターゲットです。読み返した時に楽しかった記憶だけではなく、「そうそう、これが好きなんだ」という確認や「そういえばこれが気になっていたのだった」という再確認ができるメリットもあります。

全部の日付、ページ全体が埋まった喜びはとても嬉しいので、それを実現するための苦肉の策とも言えます。でも難しく考えなくても大丈夫です。どうしても記憶だけで埋めたい場合は、食べたものや行動した内容にこだわって描いてみてください。ただ私の場合はどうしても記憶が思い出せない日があり、マンスリージャーナル全体のバランスにもこだわりたいので同じ内容が続かないようにしたいために、このアイデアにたどり着きました。なおマンスリージャーナル以外でもこの手法は利用可能です。

デイリージャーナル（１日１ページ手帳）やウィークリージャーナル（週間手帳）でも同様に記憶だけではページが埋まらない場合に「好き」と「興味関心」を利用してください。

ときどき「スケッチジャーナルが続かない」「ページを埋めることができなかった」といった声を聞くことがありました。これはネタ不足、材料不足が影響しています。散歩する、本を読む、会話するといった日常生活の中で、自然にネタに気づくように仕組み化を整えておけば大丈夫です。

私の場合はたとえ仕事の真っ最中であっても「これはスケッチジャーナルに使えそう」といった発見があるので、ネタがどんどん溜まっていきます。この**ワクワクする材料は、直感的に気になったものをどんどんネタ帳に記録していくことで溜まっていきます。**この時はきれいにメモを取ろうなどとは思わずに、すばやく大きな文字でどんどん書いてください。なるべくすばやく記録したいので、ボールペンが良いと思います。ネタ帳からテーマごとに別の専用ノートに転記する時に、万年筆を使ったりマーカーを使ったりします。見栄えは、この段階で考えればいいです。

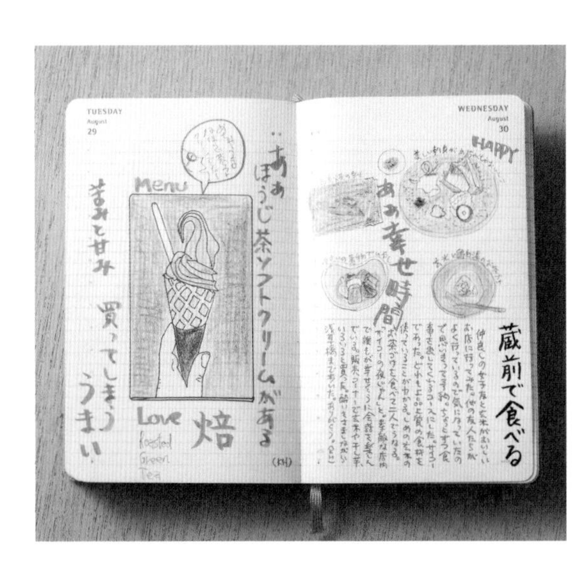

蔵前での至福の時間をデイリージャーナルに。描きたいことがありすぎて、２日分のスペースを使っています。

ネタの整理方法（PET）

「そんなに描くことがあるだろうか？」と心配される人がいるかもしれません。けれど大丈夫です。Chapter03で詳しく説明しますが、一週間の生活の中でネタが集まりだしますので安心してください。私がやっているネタの整理方法を紹介します。場所（Place）、出来事（Event）、時間（Time）の頭文字をとって「PET」と名付けています。**最も整理しやすいのはTimeカテゴリーで、手帳を使って日間、週間、月間のフォーマットにそれぞれの日付ページに振り分けます。**1月1日に見つけたネタを1月1日のページに描く。日付を合わせるだけなので楽です。

Placeカテゴリーは家、地元、それ以外の場所の3つで振り分けます。これで自分の家を中心にして活動範囲を広げていくことで、それぞれのエリアのネタが鮮やかに見えてきます。今まではちょっと出かけたり旅行をしたりという家の外に注目していましたが、ステイホーム時間を経験した私たちは家と地元に対する関心がかなり高まったのではないでしょうか。

Eventカテゴリーで出来事をMind（精神）とSocial（社会）、Life（生活・人生）で整理します。場所、出来事、時間が重なるネタもあります。自分が集めたスケッチジャーナルの材料がどこに当てはまるか、考えてみてください。

Place	場所で整理	Home	家族、ペット、庭、食べ物、買い物、趣味、余暇、習い事　など
		Town	地元、ご近所、知り合い、商店街、お店、買い物、公園、自然　など
		Travel	旅行、移動、名物、宿泊先、買い物、散歩、グルメ、体験　など
Event	出来事で整理	Mind	気になった、グッときた、感情の動き、自分の振り返り　など
		Social	文化、文学、芸術、運動、友人、コミュニティ、仕事、交流　など
		Life	家庭生活、会社生活、体と心のメンテナンス　など
Time	時間で整理	Daily	デイリージャーナル用、その日に関係する内容（1日分）
		Weekly	ウィークリージャーナル用、その週に関係する内容（7日分）
		Monthly	マンスリージャーナル用、その月に関係する内容（30日分）

20代のある日、突然に
絵を描き始めてから
ずっと続けている私の
興味関心のお話。

京都のお寺の
庭が好きで
よく描いた
京都の歴史、文化、食、自然にはまる

鴨川沿いを
よく歩いた

表千家の
茶道を習う

フェイズ2 占いとフィンランドと北欧

占い学校へ

数秘術 MODERN NUMEROLOGY

『数には意味がある』

1 2 3 4 5 6 7 8 9

夏の白夜のヘルシンキへ

ずっと明るい光の夏のフィンランド

Kiitos!!（キートス フィンランド語で「ありがとう」）

→フィンランド語教室へ（1年）

北欧のライフスタイルにはまりしばらく通う

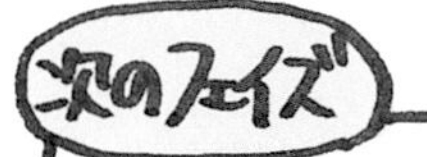

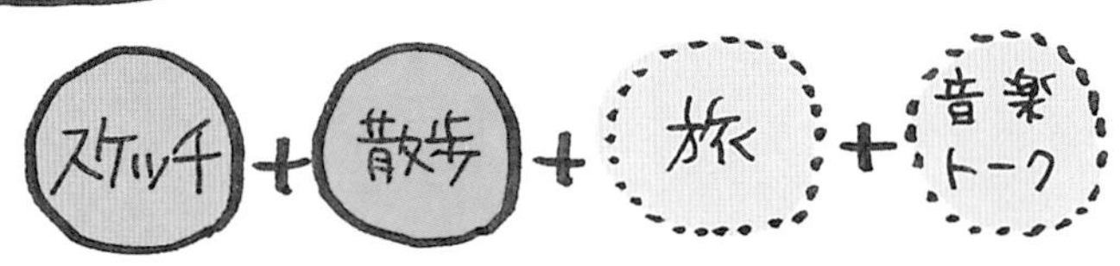

旅をしながらスケッチをして作品を作っていきたい
スケッチ散歩をスケッチトラベルにレベルアップしたい

フェイズ4 東京23区の散歩、特に隅田川

江戸文化と歴史、ウォーターフロントの気持ち良さ

フェイズ3 鎌倉から湘南／栃木

海を見ていた

生まれた街の歴史を知った 栃木県栃木市

小江戸
蔵の街

東京から電車で1時間の街にはまる

自分の「絵の種類」も探索する

描きたいことはある。けど、ノートを開いたところでまだ描き始めることができない。これは自然なことなので安心してください。水彩画や油絵などの場合、その教室に入って先生からの指導を受けながら創作を続けることで作品作りの方法を学びます。

絵日記の教室はどうでしょうか。自分がスケッチジャーナルを始めた頃はほとんどありませんでしたが、今は絵日記を描くための教室やオンライン講座が増えてきました。これは「先生に教わりながら先生の画風に近い作品を作るコツ」を習得するもので、先生の画風や創作のスタイルが好きで先生と同じように絵を描きたい場合には有効です。

一方で**スケッチジャーナルでは自分の画風も考えたいので、最初から独学で絵を学び、実践しながら自分に合う画風を作り上げていく10年間を目指します**。まず初期段階で知ってほしいのは、絵には大きく分けて2種類あるということです。1つめは「描写」によって作り上げる方法。これはスケッチやデッサンに当てはまります。絵を描くキャンバスに収めたいシーンをリアルタイムに表していくやり方と、写真を見ながら描く方法があります。2つめは「創造」で、イラストレーションやアートが含まれます。モチーフや素材として何かを見ることはあっても、最終的には自分から生まれた作品を創り上げていくイメージです。初心者の人がどちらが取り組みやすいかというと、やはり1つめの描写パターンになるでしょう。

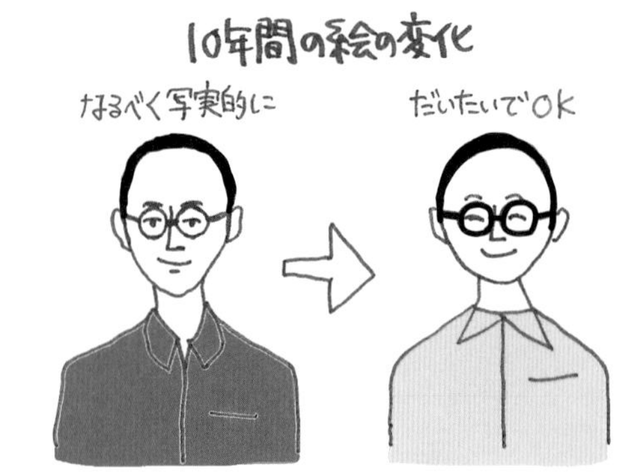

私の場合も、独学ながら最初は「描写」重視、少しずつ「創造」にシフトしていきました。

デッサンは美大や美術学校、絵画教室などで専門的に学び、何度も訓練することで身につける必要があります。スケッチという言葉は幅広く使われているので、取り組みやすいですし、現在持っているスキルで描いていく場合に向いています。一方、創造パターンの方は物体の形や動作の様子について理解する必要があり、アートの場合は特殊な材料やテーマを考えなければなりません。

スケッチジャーナルでは最初は描写パターンの方で継続し、自分の画風が確立した段階で創造パターンにチャレンジすることをお勧めします。

すでに画風が確立しているイラストレーターがスケッチジャーナルを作った場合、おそらく描写と創造が混在したパターンになるはずです。

例えば日常をシニカルに描写しながらも漫画技術を使って読者にわかりやすく内容を伝えるイラストルポ風の作品などが当てはまります。また動物や架空の生き物、デフォルメ化した自分など、キャラクターの中に自分を反映させたイラストレーションを作ってスケッチジャーナルに記録する人もいます。

「絵のエッセンス集め」と「画風の研究」の習慣化を

絵のパターンがわかったところで次に取り組みたいのは「絵のエッセンス集め」です。これは**描きたい気持ちを高める、描きたい気持ちを維持するための栄養素**みたいなものです。自分の好きな絵柄やアートの雰囲気があると思いますので、それをどんどん集めていきましょう。

絵のエッセンスは、インターネットやスマートフォン、雑誌はもちろん、少し意識すれば日常生活にも転がりまくっています。

プロのアーティストやイラストレーター、漫画家でも先人の誰かの作風に憧れて、その人を研究したりスタイルを作品に取り入れたりして、自分の創作のエネルギーにされています。憧れの作品から影響を受けるのは良いことです。見よう見まねで試行錯誤を繰り返しながら、アイデアを加えたり軸を変えたりして、新しい画風を考えていくのはとても大切な経験です。

画風のエッセンスの集め方を具体的にイメージしていただくために、私が続けている収集スタイルをご紹介します。

最初はインターネットとスマートフォンを使う方法です。画像共有SNSである**Instagram（インスタグラム）**を使って、海外のアーティストをフォローします。Instagramは自分の好きな画風のアカウントをフォローすると、投稿している写真が似ているアカウントを勧めてくれるので、この機能を使えば自分が描いてみたい画風を実践している人の作品を眺めることができます。**気に入ったものはお気に入りマークをつけておけば、後で見返すことも可能です。これはオンラインギャラリーのようなものです。**

同じようにインターネット上の画像や動画をコレクションする**Pinterest（ピンタレスト）**を使うのも良いでしょう。いったん集めだすと自分の心が動くようなビジュアルがどんどん紹介されてきて、保存や整理が楽しくなってきます。**世界中の同好の人たちの熱意を見ると、自分もこの方法を取り入れてみたいという動機付けになって、創作意欲が高まります。**そのための画材を手に入れて、次の休日の創作時間が待ち遠しくなります。未来の楽しみをすでに味わっている、良い状態だと言えるでしょう。

創作意欲を高める「サンプリング」

次に日常生活の中でも絵のエッセンスを集めます。**移動時間には街に溢れる広告やショーウインドーのディスプレー、お店の看板、ありとあらゆる形、ランチタイムやディナータイムに食べたフードのレイアウトなど、気になるシーンをどんどん撮影**します。撮影が難しい場合はゼロノート（P.048参照）にスケッチを描いておく。それも無理ならスマートフォンのメモアプリに文字だけ入力。

私の休日の散歩や街歩きに同行したとしたら、歩いては立ち止まり、撮影したりメモを取ったりして、なんとせわしないやつだろうと思うことでしょう。「これを絵に描きたい」「これは絵の参考になる」「このロゴは可愛い」「この看板のイラストが素敵だ」「味がある」といった理由で集めます。これを定期的にパソコンの写真アプリに移動させて、「サンプル」というフォルダに入れておきます。

ということで私はこの絵のエッセンスを集める作業を「サンプリング」と呼んでいます。最近は散歩中のサンプリングが楽しすぎて集めすぎて、創作としてのアウトプットの時間が足りないのが悩みです。いつまで経っても材料不足にはならないので、とても嬉しい悩みです。なお**雑誌やフリーペーパーなどの誌面はスケッチジャーナルのレイアウトを考える際の参考になりますので、こちらは切り抜いてスクラップブックに貼り付けます。**

誌面からはプロのデザイナーが考えたレイアウトや文字構成が学べますので、大変参考になります。このようにインターネット世界と自分が生きるリアル世界を往来しながら、誰かが作った自分がワクワクするクリエイティブを栄養素として脳内に入れた後は、集めた素材をもとにノートに描き写したり、同じように道具を使って再現したりする実験にチャレンジ。ある絵をそっくりに描き写す作業は「模写」と呼ばれます。**模写することで、簡単に見える線もかなりこだわって描いているこことがわかる、線や色の強弱を把握できる、題材の形などの情報がわかるなどの発見があります。**

このように絵の種類の１つである模写の第一段階として、完成された絵を描き写す作業には意義があります。**完全に同じように模写するのはできないので、うまく写せなくても大丈夫**です。再現は諦めて、いろいろと省略してシンプルにアレンジしてみるのもいいでしょう。素材を見ながらノートに自由に描いていけばペンも手に馴染んできます。

素材に登場するパーツをよく見て模写していると、自然に形が気になってきます。平面で形を見ているだけではなく、立体ではどうなっているのかと実物を確かめたくなってきます。良い傾向です。形を認識するようになってくると、いよいよスケッチしたい気持ちが加速してきているのではないでしょうか。

模写したノートには、「カワイイ」「オイシイ」「ウレシイ」「キレイ」「タノシイ」「スゴイ」「美しい」がいっぱい！ シンプルに気になった「風景」のほか、ハヤテノの場合は「ゾロ目」もチラホラ。

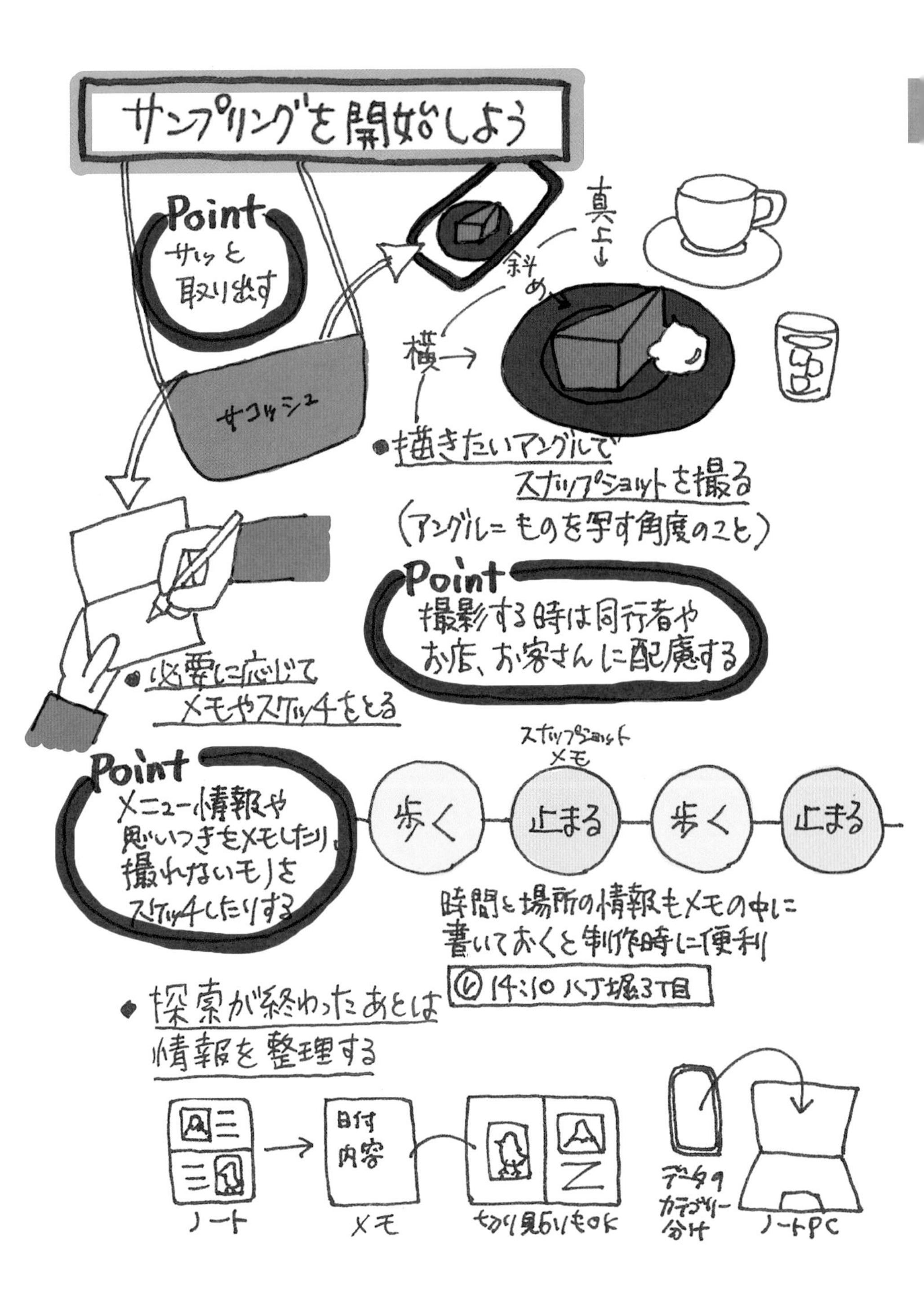

サンプリングを開始しよう
Point
サッと取り出す
サコッシュ
真上↓
斜め
横→
・描きたいアングルでスナップショットを撮る
（アングル＝ものを写す角度のこと）
Point
撮影する時は同行者やお店、お客さんに配慮する
・必要に応じてメモやスケッチをとる
Point
メニュー情報や思いつきをメモしたり、撮れないモノをスケッチしたりする
スナップショット
メモ
歩く
止まる
歩く
止まる
時間と場所の情報もメモの中に書いておくと制作時に便利
⑥ 14:10 八丁堀3丁目
・探索が終わったあとは情報を整理する
ノート
日付
内容
メモ
切り貼りもOK
データのカテゴリー分け
ノートPC

サンプリングギャラリー

SAMPLING GALLERY

デザインを集める

看板やロゴ、POP、メニューからファッション、建物、包装紙まで、デザインはそこら中に溢れています。コラージュするだけでも楽しくなってしまいます。

SAMPLING GALLERY

好き・関心を集める

好き・関心は人それぞれ。ハヤテノの場合は、文具や雑貨といったモノのほか、植物や猫、犬、メッセージ、そしてゾロ目を集めがちです。

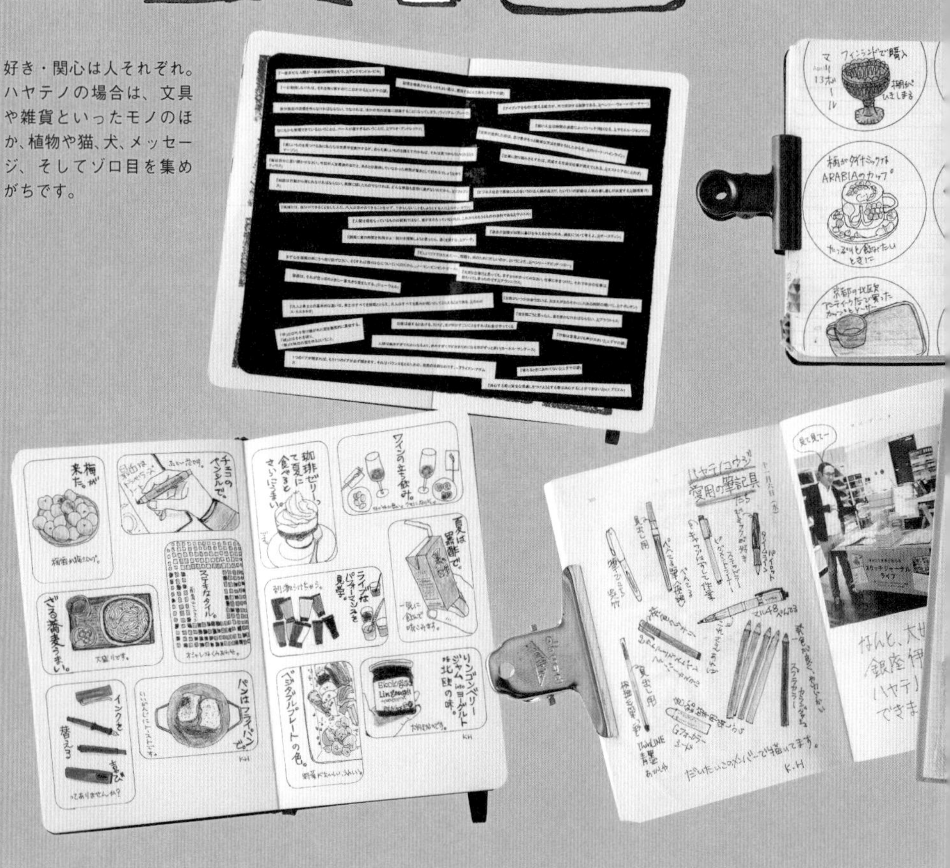

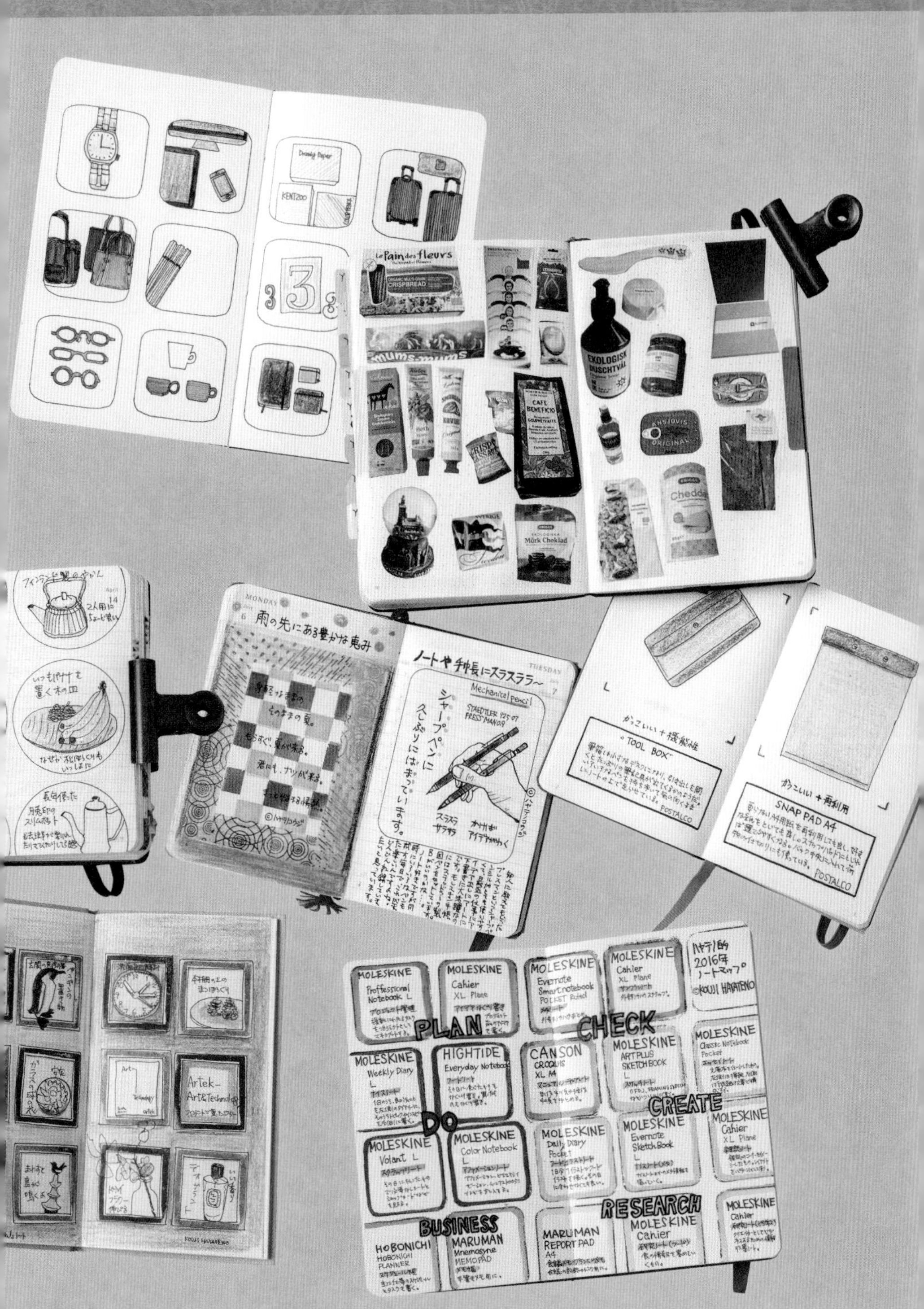

雨の先にある豊かな恵み
ノートや手帳にスラスラ〜
Mechanical pencil
シャープペンに久しぶりにはまっています。
STAEDTLER 925 07
PRESS MAN 0.9
TOOL BOX
SNAP PAD A4
POSTALCO
ハテナ印 2016年 ノートマップ
KOUJI HATATENO
PLAN
CHECK
DO
CREATE
RESEARCH
BUSINESS
MOLESKINE Proffessional Notebook L
MOLESKINE Cahier XL Plane
MOLESKINE Evernote Smart notebook POCKET Ruled
MOLESKINE Cahier XL Plane
MOLESKINE Weekly Diary L
HIGHTIDE Everyday Notebook
CANSON CROQUIS XL A4
MOLESKINE ART PLUS SKETCH BOOK L
MOLESKINE Classic Notebook Pocket
MOLESKINE Volant L
MOLESKINE Color Notebook L
MOLESKINE Daily Diary Pocket
MOLESKINE Evernote Sketch Book L
MOLESKINE Cahier XL Plane
HOBONICHI HOBONICHI PLANNER
MARUMAN Mnemosyne MEMO PAD
MARUMAN REPORT PAD A4
MOLESKINE Cahier
MOLESKINE Cahier
Artek-Art&Technology

体験を集める

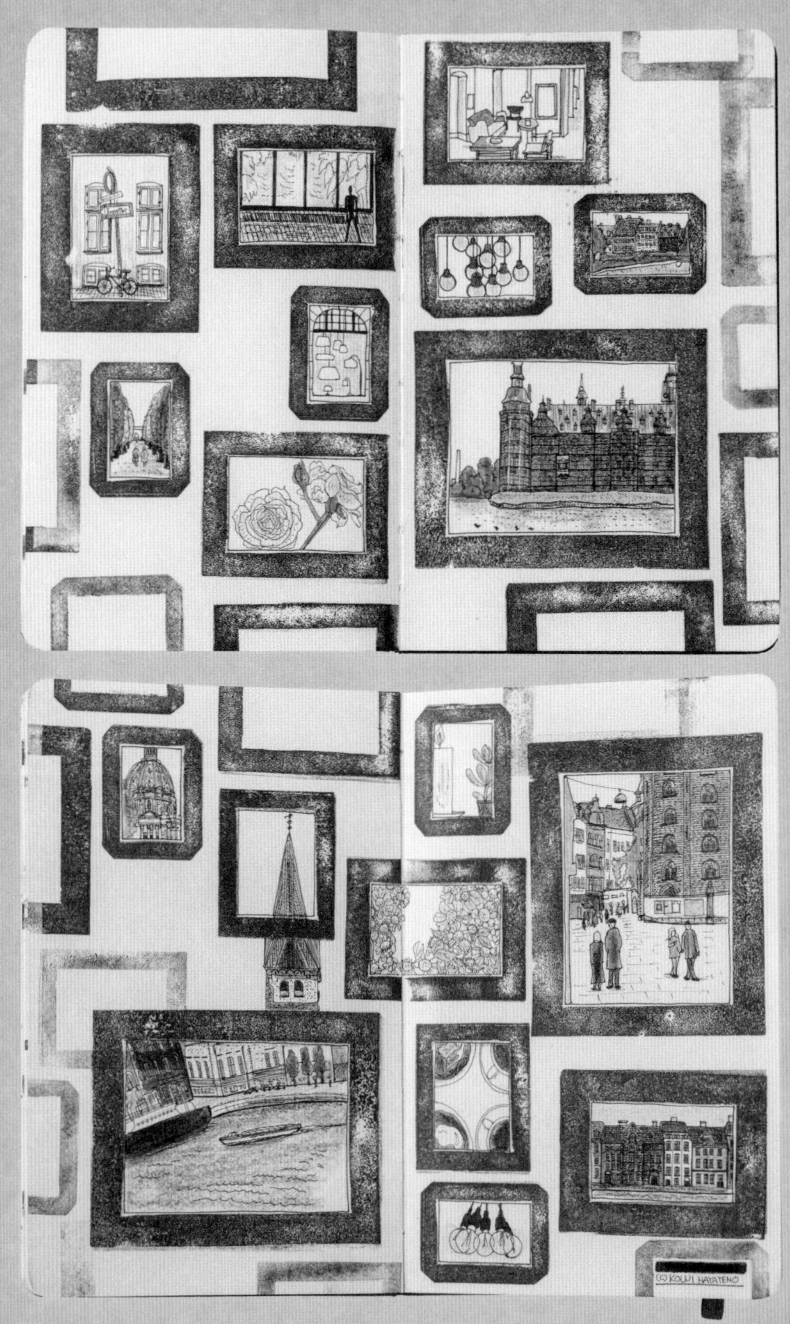

体験は圧倒的に食べ物が多かったりします。もちろん、風景や建物の外観・内観のディテールも。トーンを揃えてレイアウトすれば、それはもう作品です。

よい気分を集める

おしゃべり
隅田川沿いさんぽ
スケッチ
ハイボール
ティラミス
タンタンメン
いい読書
好きな映画
CINEMA
23
暦を買う
ジャーナリング
ビーチを歩く
昼寝
Ambient music
SJ
自分の本
ネコとおしゃべり
おいしい珈琲
SHOP
好きな店
ギョウザ
おかし

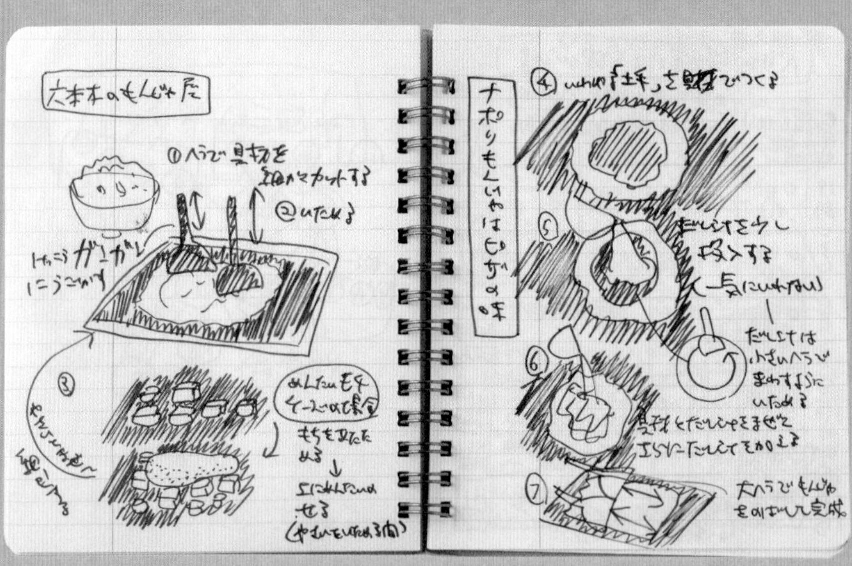
六本木のもんじゃ屋
①ヘラで具材を細かくカットする
②いためる
③
ナポリもんじゃはピザの味
④
⑤
⑥
⑦

気分はテキスト（文字）とセットでサンプリング。並べるだけでも作品になります。
スケッチジャーナルにする際は、テキストのレイアウトも一考を。

行動モードを とことん楽しむ

スケッチジャーナルの基礎となるマンスリージャーナルを知ることで日常に創作手順を盛り込みましょう。
ここでは毎日のスケッチジャーナルの創作ステップを見ていきます。

Step1：材料集め（ゼロノート）

「ゼロノート（ネタ帳）」にその日にあったこと、気づき、情報、発見、タスク、なんでもかんでも書きます。ラフスケッチや貼り付けをしてもいいです。ここでスケッチジャーナル作品のアイデアを考えるのもありですね。常に筆記具とともに持ち歩いて記録していきます。同時にスマートフォンのメモアプリに記録してもいいですが、最終的にはゼロノートに転記しましょう。あわせてスナップ写真も撮影しておきます。**ゼロノートは持ち歩きやすいポケットサイズで、なるべく軽いものを推奨します。でもあなたが使いたいノートで大丈夫です。**家にあった未使用のノートをこの際にどんどん使っていきましょう。高級ノートはもったいなくて使えないという声も聞きますが、文具は使ってこそコストパフォーマンスを発揮します。いろいろな商品を試した結果、自分の好みのノートとそれに合う筆記具が見つかった瞬間はとても嬉しくなります。ぜひ探してみてください。私はお気に入りの組み合わせは決まっているものの、家にたくさんのノートのストックがあるため、それを消費しようとする日々を送っています。

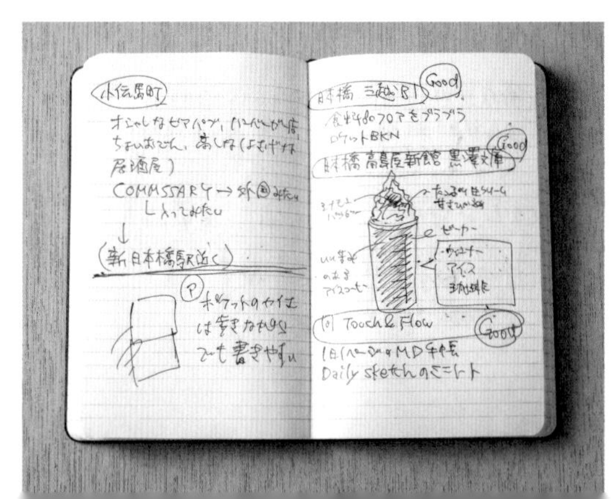

ハヤテノのゼロノート（ネタ帳）。

STEP1 材料集め

すべてのネタはゼロノートに書いたり貼ったりしてスケッチジャーナル作りに役立てよう。

自分だけが見るネタ帳にいろいろ書いてスッキリ

相棒であり相談相手

55

表紙に通し番号を付けておこう。裏表紙に利用開始日と終了日も忘れずに。

ゼロノートの使い方その1 常に持ち歩いてメモする

メリット	デメリット	対策
ネタが1冊にまとまるので見返しが楽	紛失や情報漏えいのリスクあり	記号を使ったり抽象化を行う

ゼロノートの使い方その2 ミニノートと組み合わせる

メリット	デメリット	対策
軽くて小さいノートを携帯し1日の終わりにゼロノートに転記	ノートからノートへの転記の手間がかかる	ノートを切り貼りして効率アップ

Step2：材料の整理（三行日記）

ゼロノートの記録を元にして、帰宅してから「三行日記」を書きます。**三行日記はその日のトピックが一目でわかる見出しと三行程度の日記で構成**。なぜ三行かというと、楽なので継続しやすいのと、週末などの時間がある時にまとめて作れるから。もし三行に収まりきらない場合は、別のページにたっぷり書きましょう。

「こんな嫌なことがあった」という記録はしません。「こんなことがあったが、気持ちを切り替える」「こんなことがあったので、もう○△はしないことにする」「こんなことがあったが、よく考えるとこの点がよかった」という感じで「ちょっと待てよ、もしかして…」「そうだったのか、むしろチャンスじゃないか」「むしろありがたいじゃないか」という感じでポジティブに解釈します。これをやると、いろいろな感謝の気持ちが芽生えてきます。それから日記にまとめていきます。したがって**三行日記の記載は寝る直前に行うのが有効です。**

STEP2 材料の整理

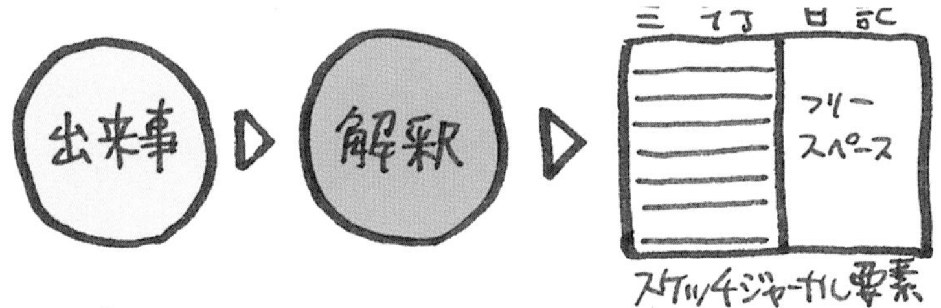

Point

体験で得た感情をそのまま三行日記に書くのは避ける。ゼロノートにて整理してニュートラルかポジティブになる内容のみ記載する。

見出し

その日をタイトルで表現

3行の文

その日の最大トピックを3行以内に書く

ここで**材料をポジティブに転換しておくことで、スケッチジャーナルにネガティブなことを含む行為を抑制できます。**スケッチジャーナルにはマイナスなことは書かないでください。それがトリガーとなって読み返した時に嫌なことを思い出してしまうからです。一方でポジティブに解釈できた失敗や経験を「面白おかしく描く」のは問題ありません。見出しタイトルを考える行為は要約力を鍛える練習になりますよ。

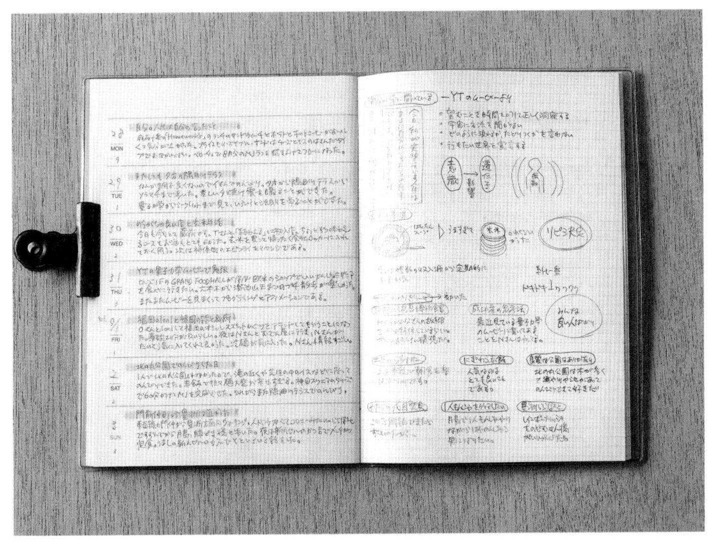

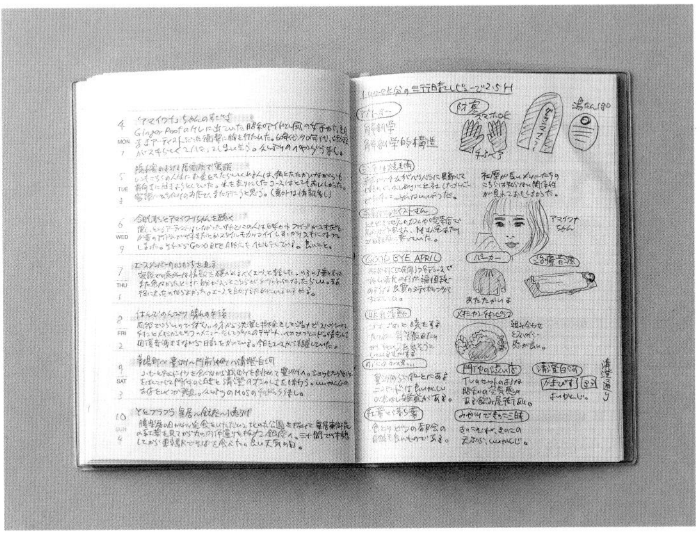

ハヤテノの三行日記たち。

Step3：ネタの振り分け（もっとやるリスト、もうやらないリスト）

私たちは人間ですから、許せないことや、残念なこと、もう二度と繰り返したくない失敗について考える行為をゼロにすることは不可能です。ついつい考えてしまいます。だからそれは「もうやらないことリスト」にしっかり書いて封印します。普通のノートに書いてもいいですし、タスクリスト型のメモを使うのもありです。

なぜもうやらないことをいちいち書いておくかというと、再発防止です。忘れてしまうとまた同じ要因で失敗してしまうのです。一方、その逆の「もっとやるリスト」も大切。気分がよかったこと、成功したこと、うまくいったことも書きます。これを繰り返すことで上機嫌を目指します。悲しいことに「もっとやるべき」ことも忘れてしまうので、こちらも忘却防止です。ただし「もっとやる」は無理にこだわる必要はありません。**もう飽きた、そうでもなかったという状態になったらリストから外しましょう。**

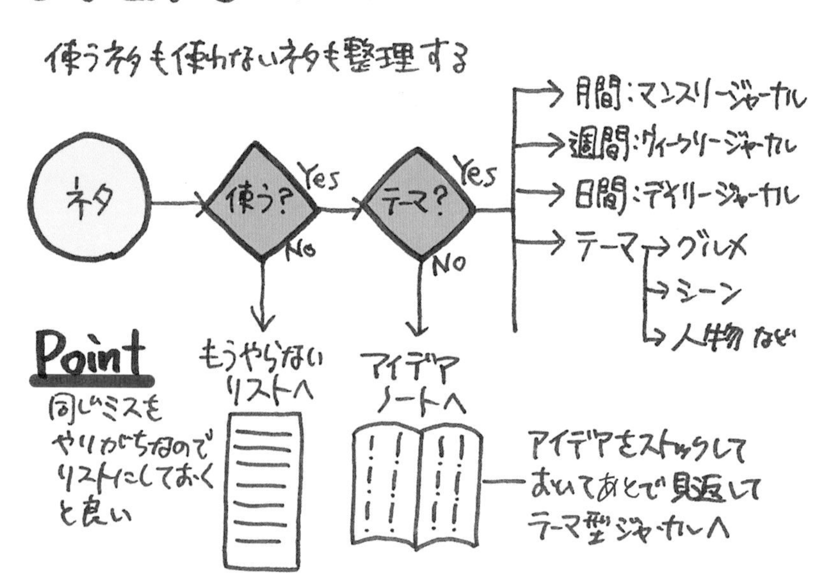

もっとやること & もうやらないこと

もっとやる

長期的に楽しいことを増やして、不快に感じることをなるべく減らす。もっとやるべきことを忘れないようにする。

心地のよい すべての経験

空間・時間・情報・アイテム・サービス
交流・体験・会話・食事・運動・休憩

※心地いいものは、いつかお別れする時も来る。体調や年齢によって変わってくるので、ふさわしくない場合はリストから外す。

もうやらない

望まない結果の要因を探り、もう二度と同じ過ちを犯さないように管理する。もうやらないことを忘れないようにする。

心地のよくない すべての経験

※望まないものを見て、望むものを知る。避けたいものがあるから、欲しいものがはっきりする。

Step4：カレンダー型スケッチジャーナル制作

いよいよスケッチジャーナルを作るための準備に入っていきます。三行日記とスナップ写真があれば、マンスリージャーナル（手帳のカレンダーページの小さい正方形の枠に小さい絵と文字を配置していくタイプ）やウィークリージャーナル（週間型の手帳の横長の枠を使うタイプ）、デイリージャーナル（1日1ページ型の手帳1ページにスケッチジャーナルを描くタイプ）をすぐに描き始めることが可能です。

マンスリージャーナルは3センチの正方形の中に絵を描くので、初心者でも取り組みやすく、30マス程度を埋めるというゲーム性も楽しめます。横型か縦型のフォーマットを使うウィークリータイプは縦横どちらかに長い四角形のスペースに描くので、ちょっと工夫が必要になるでしょう。最も大変なのがデイリージャーナルで、365日分のページを埋めるための努力をしないと埋まりません。ただ1年かかって全ページを埋めた時の感動は最高です。

STEP4 カレンダーにスケッチ

シンプルに内容をまとめたマンスリージャーナル

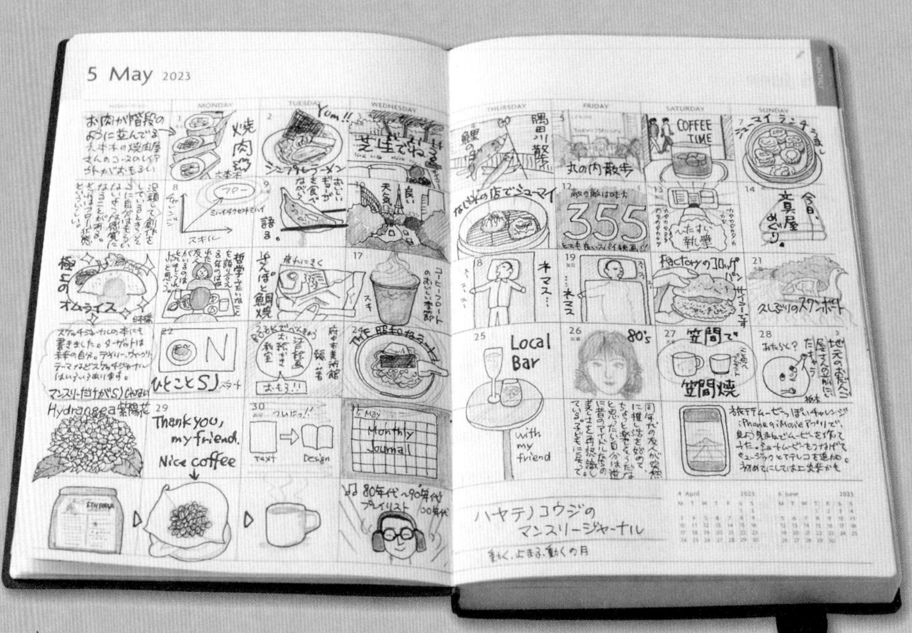

詳しいところまで描写したマンスリージャーナル

カラーをたくさん活用したマンスリージャーナル

自分だけがわかる表現を使ったマンスリージャーナル

01
気づきの追跡（1日中）

気づき、ログ（場所や食べ物）情報、ToDoなどを記録する。

8

12

16

20

0

ネタ帳（ゼロノート）

02
体験した出来事を解釈

出来事の本質を考えて客観的でニュートラルな結論を出す。

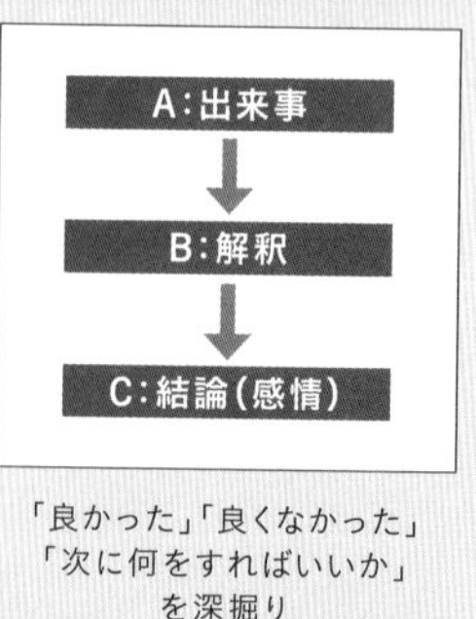

「良かった」「良くなかった」
「次に何をすればいいか」
を深掘り

ネタ帳（ゼロノート）

03
リストの振り分け

アイデアや気になる項目について次のアクションを整理する。

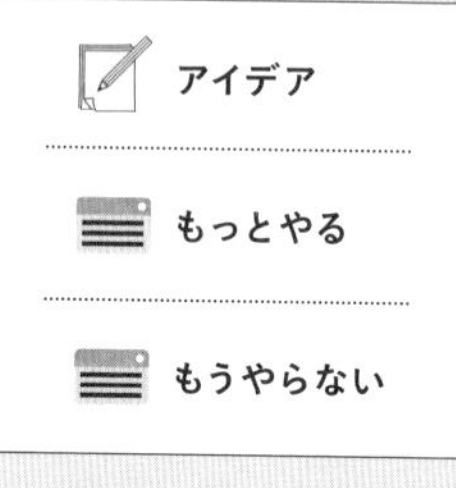

「アイデア」→作品作り
「良かった」→もっとやる
「良くなかった」→もうやらない

専用ノート、ルーズリーフなど

04 当日の話題の選択

ネタ帳（ゼロノート）、スマートフォンの写真・メモ、メッセージなどの記録を元にして、当日のトピックスを考える。

●**見出し**
内容が一発で
わかるように工夫

●**要約**
見出しの説明文を
三行にまとめる

ネタ帳（ゼロノート）

05 三行日記への記入

ゼロノートに書いた「見出し文」と「要約文」を元にして三行日記に当日の話題を記入する。

三行日記はウィークリー
スケジュール（レフト式）などの
週間手帳が便利

手帳（週間）・ノート

06 週のふりかえり

日曜日の午後か夜に、自分の三行日記を読み返す。一週間の自分の記録をチェックする。気づきがあれば手帳の余白に記入する。

- □楽しさの再体験
- □ニュートラルの維持
- □発見の再確認
- □もっとやるの確認
- □もうやらないの確認
- □アイデアの確認
- □スケッチ要素の確認

三行日記・ネタ帳

07 スケッチ作業

手帳などのカレンダーページに見出し、ビジュアル、キャプション（写真・図版に添えられた説明文）の3要素を記入する。

毎日描く、ある程度まとめて描く
1カ月分をまとめて描く、は自由

手帳（カレンダーページ）

08 空白への対処

三行日記の記録とスマートフォンの写真・メモを頼りにして日付スペースを埋めていく。埋まらない場合は他の要素を利用する。

Step1	記憶
Step2	好きなもの
Step3	興味関心

2マス3マスを貫いて使ってもOK
文字、スタンプ・シール利用もOK

09 スケッチの完成

1カ月分の自分の歴史を味わう。ポジティブあるいはニュートラルに寄せた解釈だけが描いてあるか確認する。

基本的には自分だけで楽しむ
SNS公開は慎重に行う

手帳（カレンダーページ）

10 October 2023

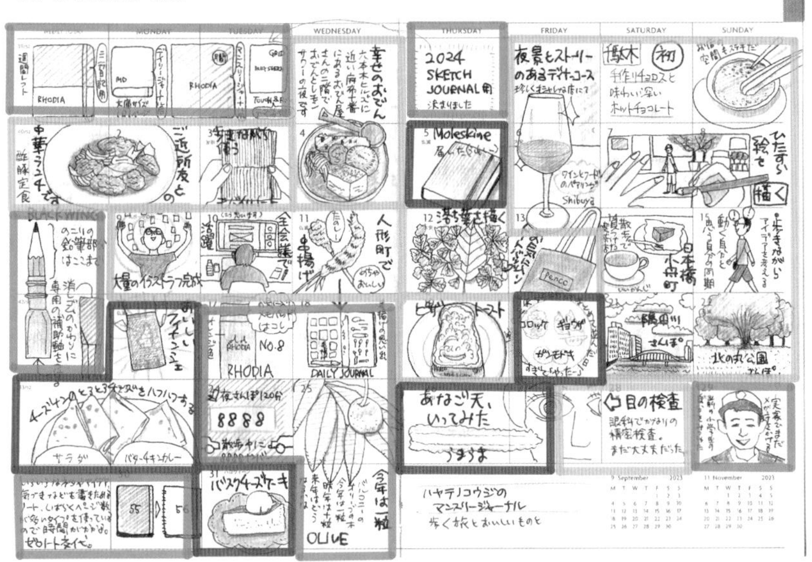

緑色：興味関心　黄色：記憶　赤色：好き

10

完成後の検討作業

完成した作品は、基本的には他人に見せる必要はなく、特に意図が思いつかない場合は自分だけで楽しむ。どうしても誰かに見てもらいたい、見せたい、家族や友人、仲間と共有したいという気持ちがある場合があると思う。友人や仲間との共有は、LINEなどのメッセンジャーアプリや限定公開を利用して楽しむ。SNSにて広く公開する場合は、次の点に注意する。

- 自分の個人情報やプライバシーが記載されていないか
- 他人の個人情報やプライバシーが記載されていないか
- 個人や企業を傷つけるような内容が記載されていないか
- 著作権、肖像権、商標権などの法律を侵害する記載がないか

商品は形状の特徴を捉えながら、あまり細かく描きすぎないようにアレンジする

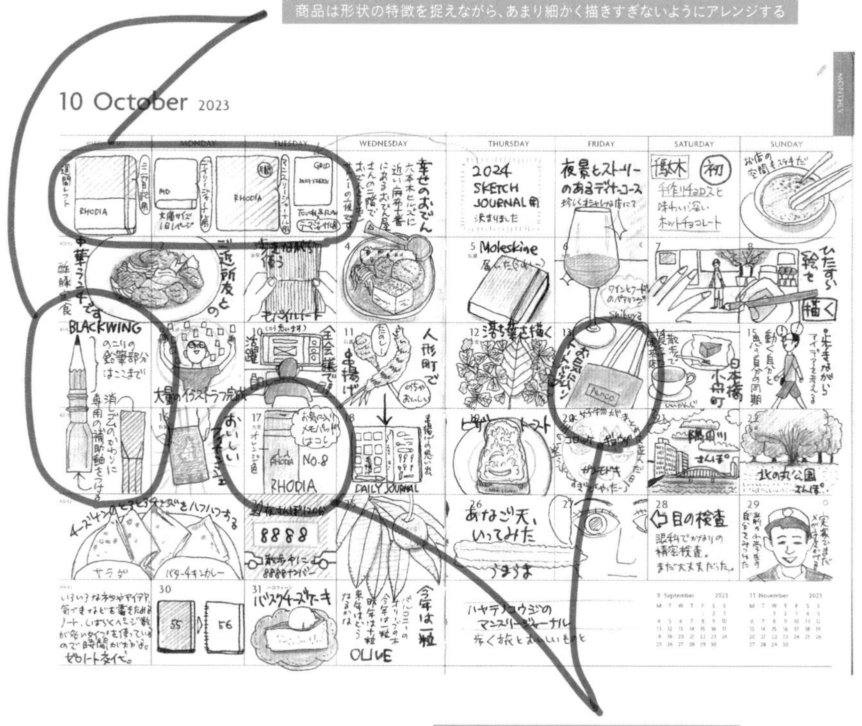

商品名を記載する時はスペルミスに注意する

Step5：ひとり企画会議（アイデアノート）

スケッチジャーナルのもうひとつの型である「テーマジャーナル（旅日記や趣味日記、グルメ日記など）」に取り掛かるためには、もう一手間が必要です。

例えば1冊のミニノートに自分が食べた美味しいパフェをスケッチして「東京パフェ三昧」といったスケッチジャーナル作品を作る場合を考えてみましょう。ミニノートのページ数を把握してから、登場するパフェの点数から配分を考えたり、レイアウトを調整してみたり、楽しいけど時間がかかる作業があります。これは**一気にやると疲れてしまうので、ざっくりとしたアイデアをノートにまとめておき、寝かします。アイデアノートを見返して更新したり、その中から取り組むテーマを決めて作品作りに入ったりします。**

ちなみに冬のフィンランド旅行記のスケッチジャーナルを制作した時のページ割りの見本と完成した作品は拙著『スケッチジャーナル 自分の暮らしに「いいね！」する創作ノート』（ハヤテノコウジ著 G.B.刊）にて詳細に紹介しています。ぜひ参考にしてみてください。

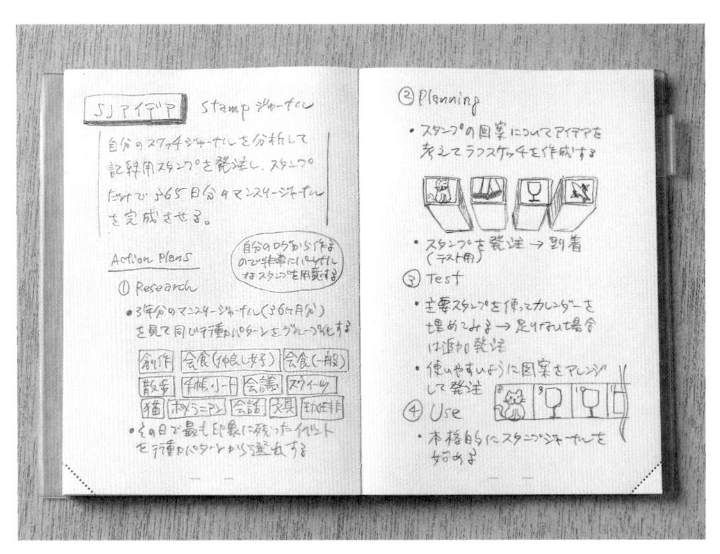

ハヤテノのアイデアノート。

STEP5 ひとり企画会議

ゼロノートにメモした創作のアイデアを転記したノート
IDEA
スケッチジャーナルのテーマやイベントに関するアイデアをまとめている
例 どのスタイルでスケッチジャーナルを作ろうか
スケッチ語り
スケッチをムービーで発信
この作品はフジサンの…
4コマ漫画風
?
風景カード
コトバ
絵
ウラ
スタンプジャーナル
いろいろなタイプの
スタンプで日記
ハヤテノラジオ
お気に入りのペンについてかたります
スケッチとラジオ ポツポツと
ハヤテノトーク
みんなでつくろう

Step6：テーマ型スケッチジャーナル制作

作りたいテーマジャーナルのフォーマット（手帳かノートか、ポケットサイズかラージサイズか、ページは多めか少なめか、色はどれくらいつけるか等）が固まったところでいよいよ制作に入っていきます。半日のお散歩日記なら数日で完成します。1週間程度の海外旅行の場合、ページを埋めるのに1カ月かそれ以上かかるかもしれません。とにかく完成した時の喜びは大変気持ちがいいので、ぜひ頑張っていただきたいです。

私の例でお話しすると、デンマークを旅行した思い出をまとめたスケッチジャーナル制作が今までで最大の時間と体力を使った作品です。A4サイズのスケッチブック（モレスキンなのでノート型）をフォーマットにして、文字、スケッチ、写真、パンフレット等の切り抜き、現地で得た紙材料（お店の袋、ナプキン等）などをレイアウトして作ったため完成までに6カ月かかりました。この経験から、次のスウェーデン旅行のスケッチジャーナルを作成する際には旅行前、旅行中、旅行後の3段階で制作を進めることで、2カ月に短縮することができました。

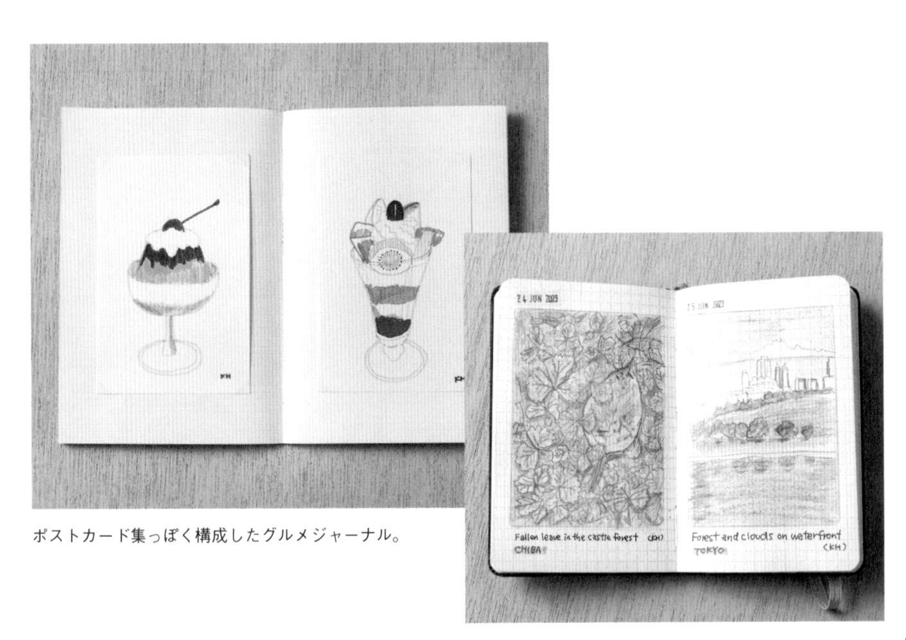

ポストカード集っぽく構成したグルメジャーナル。

デイリージャーナルの風景版。

STEP6 テーマ型スケッチジャーナル

自分が食べたグルメのおいしかった記憶をノートにまとめるグルメジャーナル。フードはネタにつきないしカラフルで形状も豊富なのでオススメ。

気に入ったシーンをスナップショットにおさめておいて、四角形か長方形の横長のノートを使ってスケッチする。フレームをノートに描いてから風景を入れていくとギャラリーになる。

行動モードギャラリー

ACTION MODE GALLERY

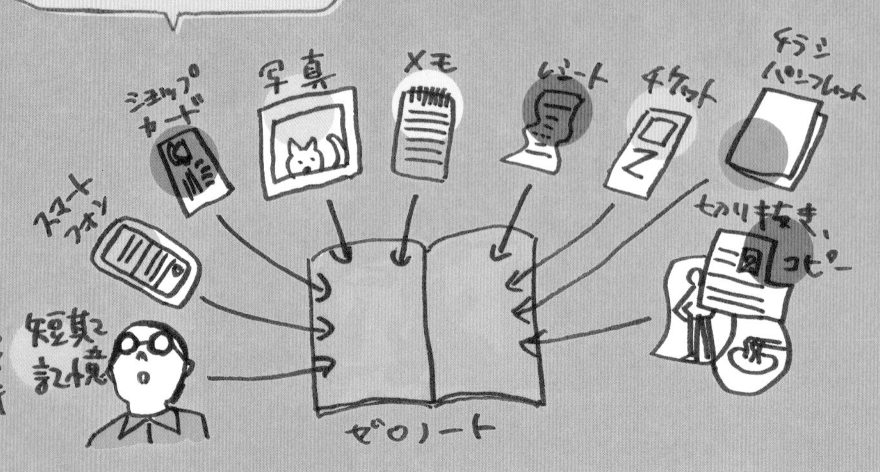

記録形式・メディア別に分けていると管理できないので、あとでスケッチするネタはゼロノートにどんどん集約。

ACTION MODE GALLERY

三行日記

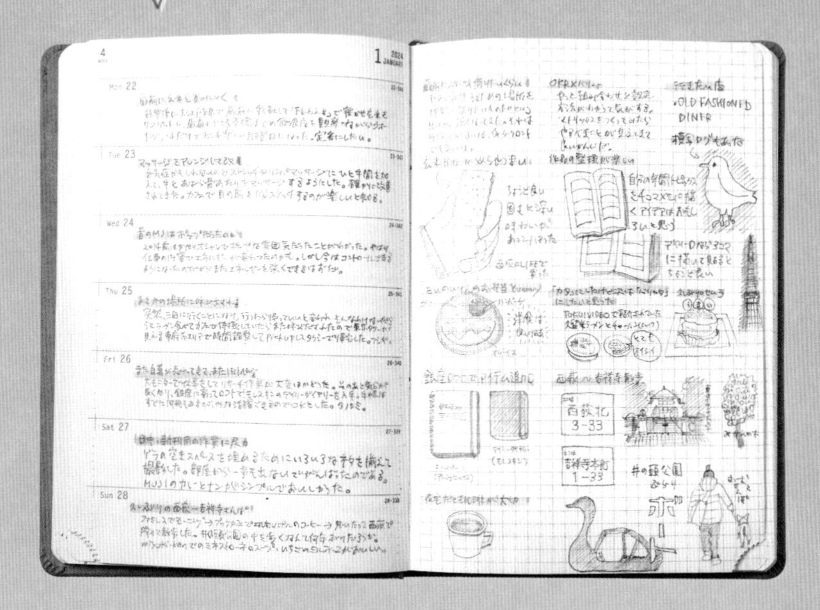

三行日記に自分の毎日を要約しておけば、気が向いた時にまとめて創作できる。

ACTION MODE GALLERY

ネタコレクション

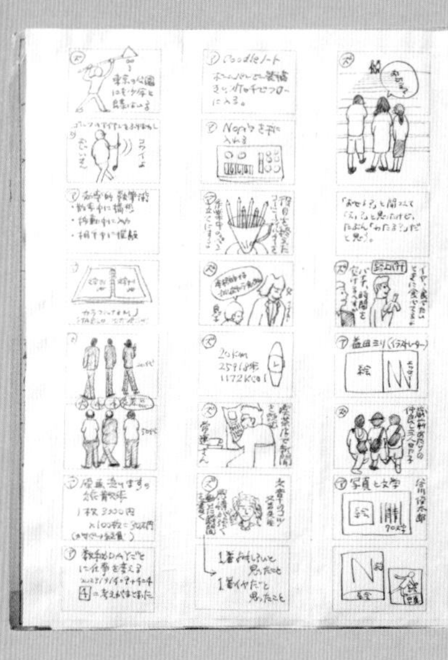

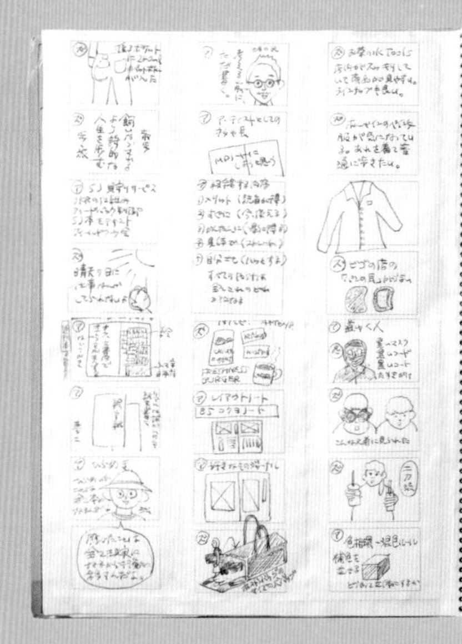
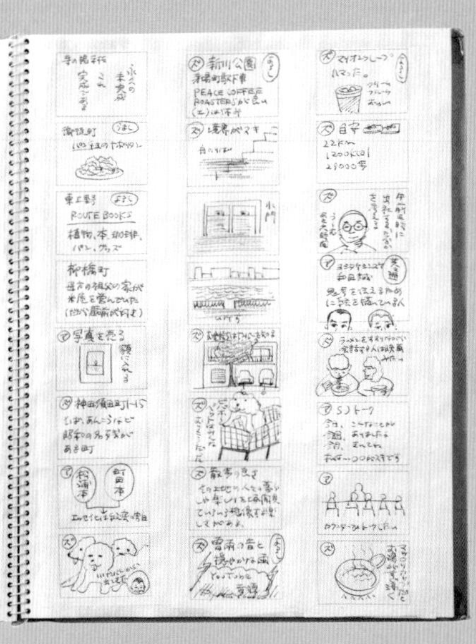

ゼロノートに書き溜めたネタのアイデアを、4コマのフレームが印刷されたメモに書き写して、それをスケッチブックに貼ってコレクションにした例。

アイデアノート

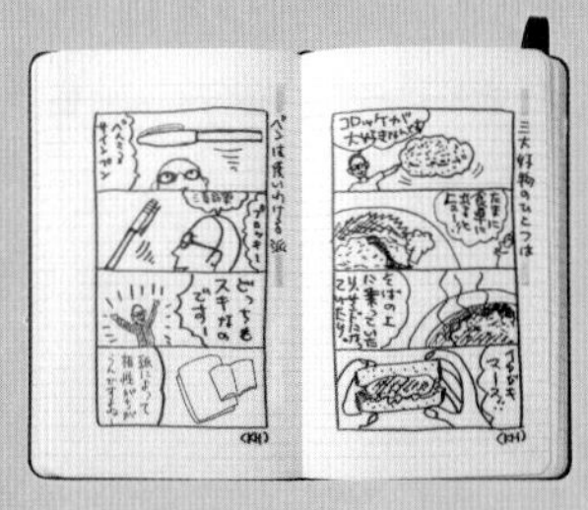

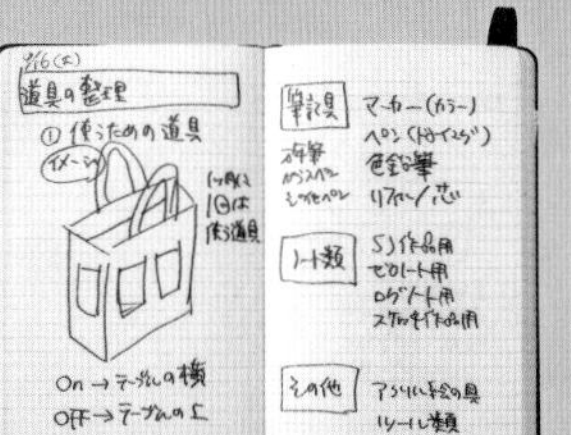

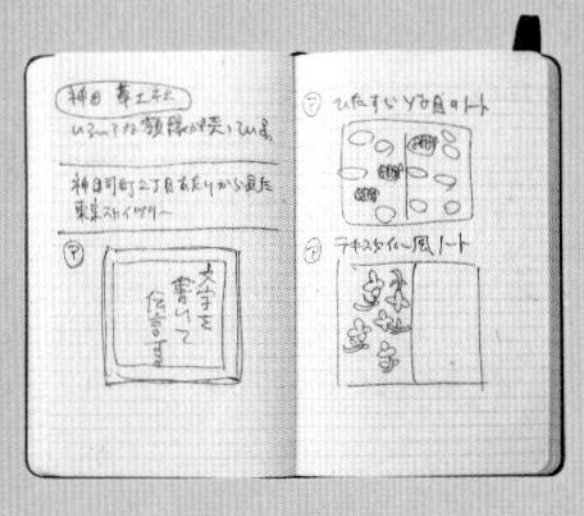

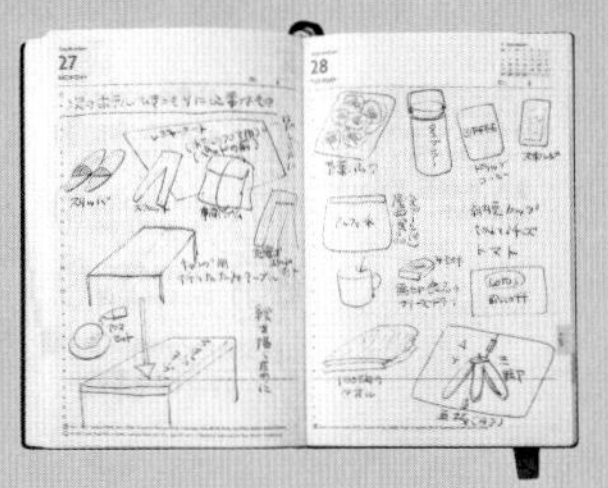

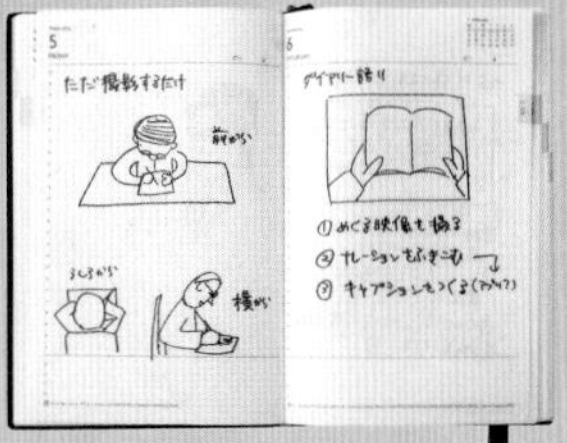

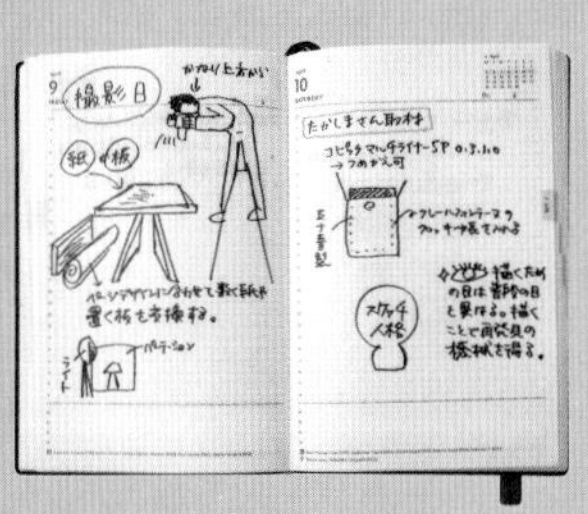

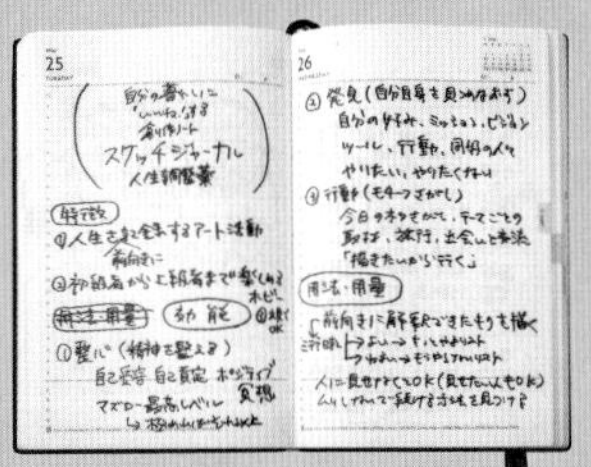

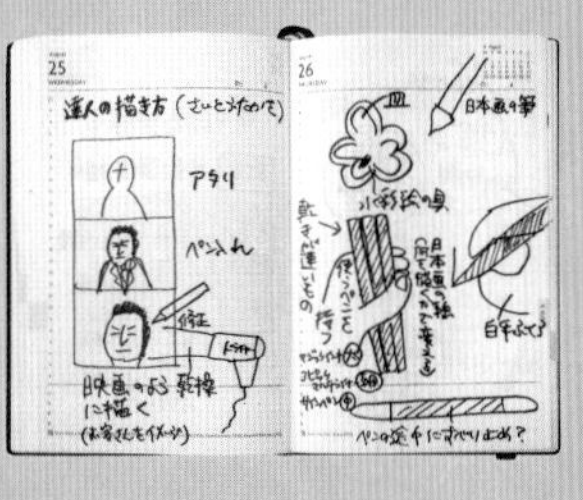

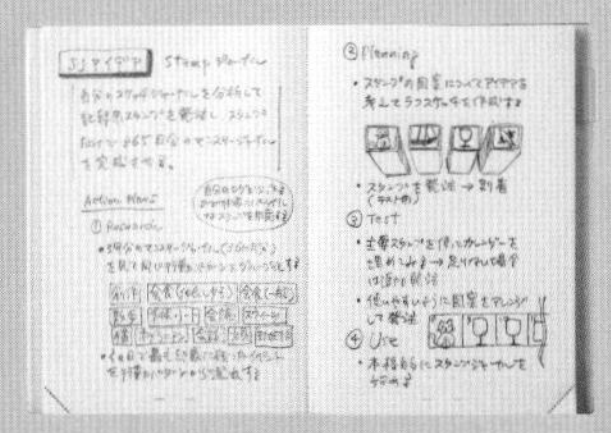

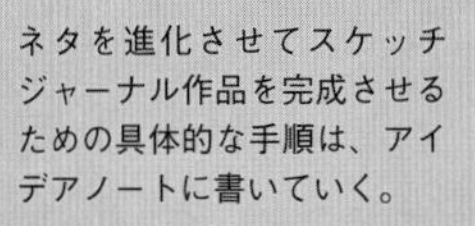

ネタを進化させてスケッチジャーナル作品を完成させるための具体的な手順は、アイデアノートに書いていく。

テーマ型スケッチジャーナル

鎌倉さんぽ

グルメ

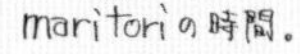

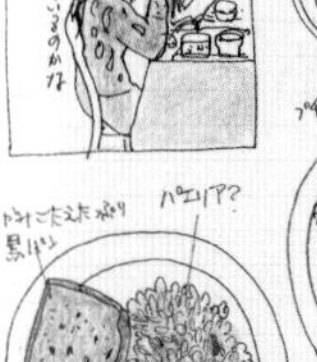

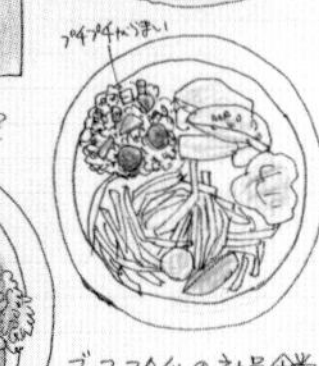

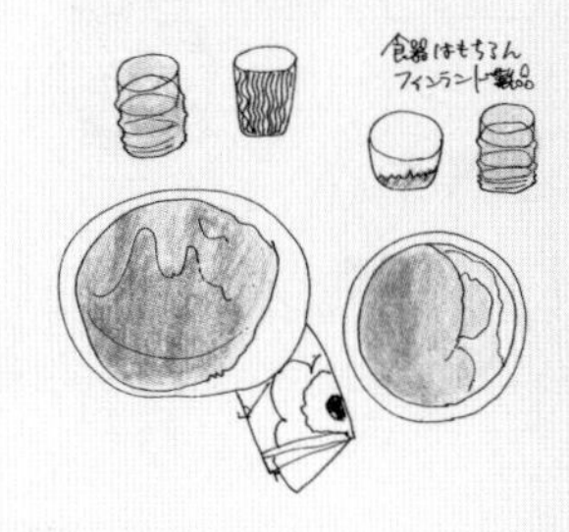

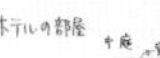

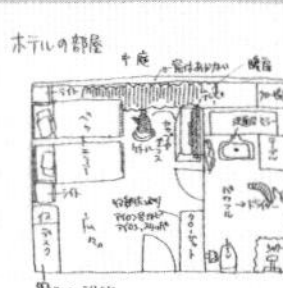

グルメや旅行、好きなアイテム、お気に入りのショップ、映画の感想など、テーマごとに1冊のスケッチジャーナルを作る。

創作モードで
表現をカスタマイズ

スケッチジャーナルは自分の好きなように
アレンジするのが◎。使う道具や表現方法などの
制作スタイルもカスタマイズしていきましょう。

カスタムのアレンジは無限大

スケッチジャーナルは、絵と文字だけの絵日記スタイルにとどまらず、ノートと手帳をキャンバスにする以外はどんな表現をしても大丈夫。写真愛好家であればプリントアウトした写真を貼り付けて、キャプションを手書きしたアルバムを作ってもいいし、スタンプが好きでたくさん持っている方はそれを押して作ってもいいです。

可愛い包装紙をカットしてスクラップする、文字中心の日記に少し挿絵を入れるスタイル、その日に見つけた好きなデザインのコレクション、お花のお稽古で出来上がった生け花のスケッチ帳、その日に食べたグルメを記録する日記、週末のお散歩スケッチ、飼い犬の写真を切り抜いて貼り付けたコラージュ、推しのアイドル写真のスクラップなどなど、アイデアは無限に出てくるのではないでしょうか。それでは自分にあったやり方を考える、カスタマイズの手順を説明していきましょう。

スケッチジャーナルの基本は手帳やノートに絵と文字を描く

Step1：キャンバスの選択

まず最初にスケッチジャーナルの母体となるキャンバスを選びます。ここで言うキャンバスとは、**大きく分けてスケジュールが印刷された手帳と、大きさやデザインなどのさまざまな仕様を持ったノートの2種類**になります。手帳のメリットとしては、スケジュール管理が目的となっているフォーマットであるため、その日にあった出来事の記録に適しています。

スケッチジャーナルでは月間のカレンダーページ、週間予定表、日間予定ページの3種類にそれぞれマンスリージャーナル、ウィークリージャーナル、デイリージャーナルを記録します。このスケジュールとしての機能やページデザインにこだわらないで、自由な表現をしている人もたくさんいます。

次にノートです。**ノートは紙のとじ方に違いがあります。これは文具売り場で実際に手にとって試してみることをお勧めします。**糸綴じタイプが好きか、リングノートタイプが好きか、値段にこだわるか。モレスキンやトラベラーズノートなどの自分が好きなブランドから選ぶか。あなたの基準で絞ってみてください。

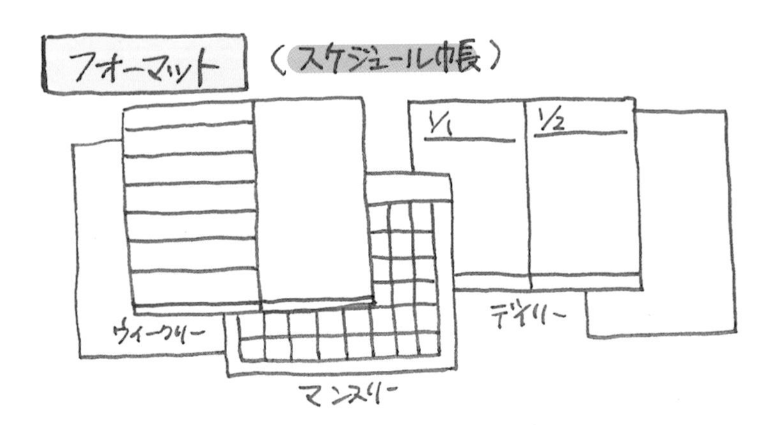

Step2：サイズの選択

手帳かノートかどちらか選ぶことができましたら、次はそのキャンバスのサイズを考えましょう。文庫本サイズに近い**「ポケット**

サイズ」を標準的なキャンバスと設定します。モレスキンのポケットサイズであればA6サイズで、192ページ（192枚ではない）あります。持ち歩きしやすく記入しやすい大きさで、掲載できる情報量もちょうどいい。

これより小さいサイズはXSサイズと呼ばれる名刺サイズに近いノートもあります。用途を絞れば楽しめるでしょう。ポケットサイズよりも大きいノートは**ラージサイズ**と呼ばれます。これはほぼA5サイズです。紙面が広がりますので、絵を思いっきり描いたり紙素材をたくさん貼り付けたりすることが可能です。B5サイズ、A4サイズ、それ以上といったサイズもありますので、自分のスケッチジャーナルのアイデアにふさわしいサイズを選んでください。厚さについてはページ数によって異なります。

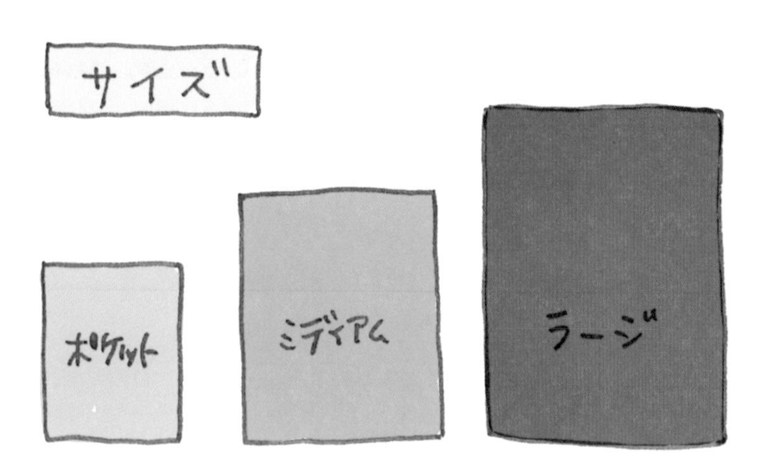

Step3：フォーマットの選択

ノートを選んだ場合、次はノートのフォーマットについて考えます。これは個人的な好みの問題ですので、自分が好きなタイプを選んでください。一般的に広く使われているのが**「ルールド（罫線）」タイプ**です。水平に均等間隔の線が並んでいます。コンビニエンスストアでも購入が可能です。線が横に引かれているので文字が書きやすいですね。線は引いてあるものの、あまり気にしないで自由に絵や文字を配置しても大丈夫です。

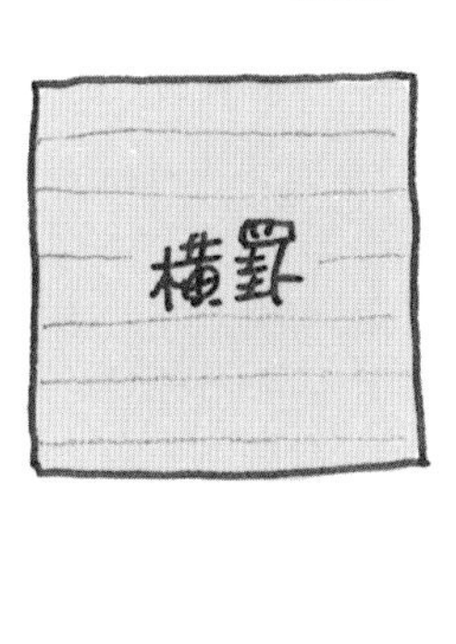

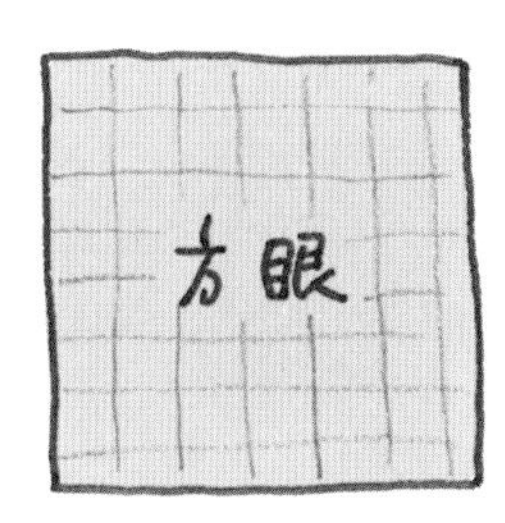

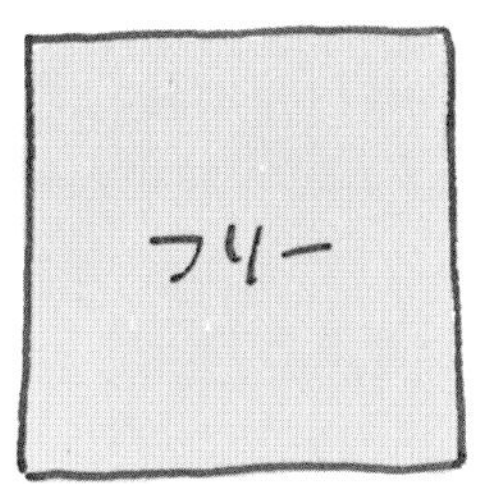

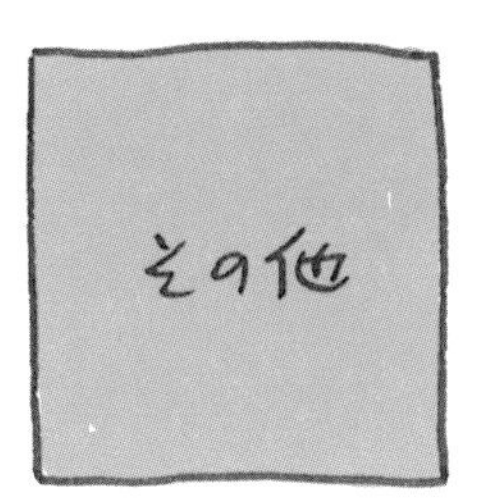

次に**「スクエアード（方眼）」タイプ**です。縦横に均等間隔に線が引かれています。小さい四角形で構成されています。ルールドは横だけでしたがスクエアードはさらに縦にも線が引かれていますので、その線をガイドに使ってレイアウトを行ったり、図形を描くのが楽です。何かを貼り付ける時も方眼に沿って配置ができるので便利です。方眼線の濃さはメーカーによって差があります。方眼を原稿用紙のマスのように使って、極小の文字を書く人もいます。

次は**「ドット（点）」タイプ**。方眼の縦横の線が交わる部分が点になって、線は消えているタイプです。無地タイプと方眼タイプの中間にあたります。最後は**「フリー（無地）」タイプ**。何も印刷されていないページで構成されています。絵を邪魔するものは何もありません。フォーマットの選択は自由なので、その時の気分や創作するテーマに沿って考えてみてください。

スケッチに何を使うかを考える
オススメは開きが良いノート
はじめはポケットサイズから
A6（文庫サイズ）
あるいは
それより小さい
サイズ
分冊タイプも便利
リングノートも便利です
横でも
縦でも
表紙がかたい
タイプは立っても
書きやすい

気合を入れてラージサイズへ

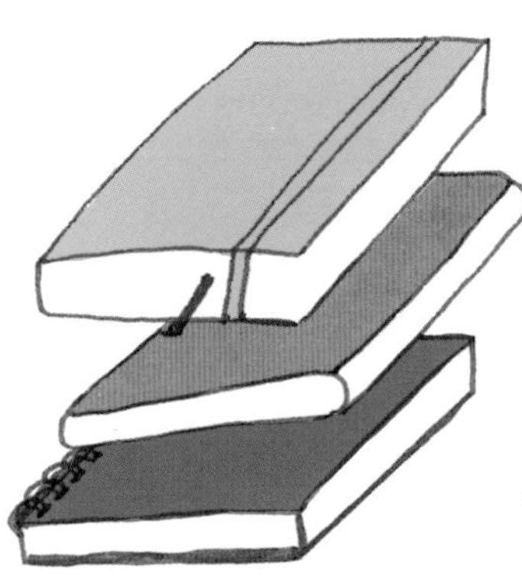

ラージサイズはA5サイズより小さい。ページ数240ページ、160ページなどがある。ボリュームと面積が広がって、いろいろと書ける反面、ページが埋まるまで時間がかかりそうです。

スケッチジャーナルの楽しみ方の例

- 手帳に絵を描いたり貼ったりデコレーションしたり

手帳はあくまでも予定を書くためのスケジュール用の紙で構成されている。従いましてやさしく扱って大切に使いましょう。

- 道具選びには時間をかけて悩んでもOK

「これが良い！」「これを使いたい！」「こんなペンが欲しかった」「海外ノートがオシャレ」など、グッとくるものを見つけに行きましょう。

- 自宅の本棚に並べて見返すのがGood

ハードカバーの手帳やノートに自分の記憶、好きなもの、関心がたっぷりつまった完成品はもはや本です。世界で1冊。

Step4：画材の選択

キャンバスが決まったら、次は画材を選びます。最初の画材は筆記具。主にスケッチジャーナルに書き込む**文字の記述に使う筆記具と、ビジュアルの基礎を構成する線を描くための筆記具**になります。鉛筆、色鉛筆、ボールペン、消せるボールペン、ミリペンと呼ばれるミリ単位の線幅が描けるペン、マーカー、万年筆やガラスペンなどがあります。自分が使いたいペンを選びましょう。

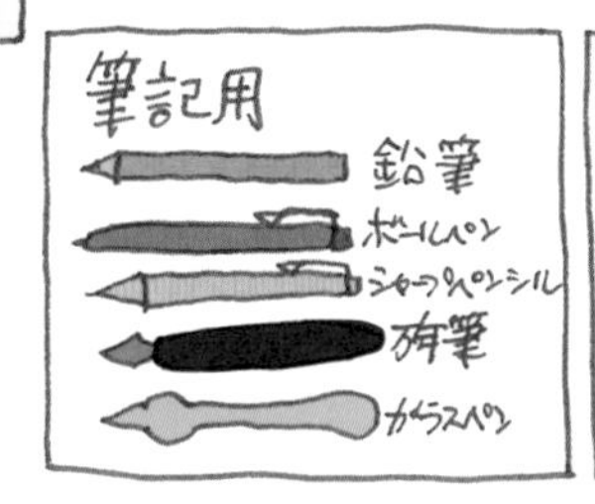

次の画材はスケッチジャーナルに色を付ける着彩の道具。水性・油性の色鉛筆、カラーマーカー、各種カラーインク、クレヨン、水彩絵の具などいろいろなタイプがあります。**着彩は色鉛筆が最も使いやすく、次第に経験と実験を重ねて自分のやりたい画風が見えてきた段階で決まってくると思います。**

なお「この筆記具をどうしても使いたい」という条件から、キャンバスとフォーマットを選ぶパターンもあります。例えば「万年筆やガラスペンでスケッチジャーナルを作りたい」という場合は、万年筆に対応した手帳やノートを選択しなければなりません。すべての手帳とノートが万年筆のインクに適した紙を使っているわけではないからです。慎重に選びましょう。

アルコールマーカーも同様です。裏抜け、裏写りなどの状態が発生しても気にならない場合は、この心配は無用です。クレヨンや油性色鉛筆、パステルタイプの色鉛筆で描く場合は、定着剤（スプレー）を吹きかける必要があります。本来は時間による作品の劣化を防ぐためにかけますが、スケッチジャーナルの場合はページを閉じて保管するために、隣のページへの色移りや画材がくっついてしまう恐れがあるので定着スプレーをかけておくのが無難です。

「初心者はどの道具から始めたらいいのでしょうか」という質問を何度か受けたことがあります。そこでは**「自分が画材店や文具店で試して、気に入ったものを選んでください」**と答えるようにしています。もちろん長年の経験から、スケッチジャーナルを進めるのに適した基本セットというのはわかっています。でも人それぞれの道具との出合いを大切にして欲しいと思います。

例えば実家の親御さんが若い頃に手に入れたけど使っていなかったという多色の色鉛筆セット、入学祝いにもらった高級ノートと万年筆、デパートの文具展で一目惚れしたボールペン、海外旅行で買った大きいスケッチブック、新商品のカラー筆ペンセット、文具店のオリジナルノートなどなど、**道具から始まる創作ストーリーはたくさんあります。**

ここまで主に道具のカスタマイズについて解説してきました。私の場合はペンケースに収納可能な範囲の筆記具と色鉛筆その他に落ち着いています。

スケッチジャーナルの道具（ペンケース）

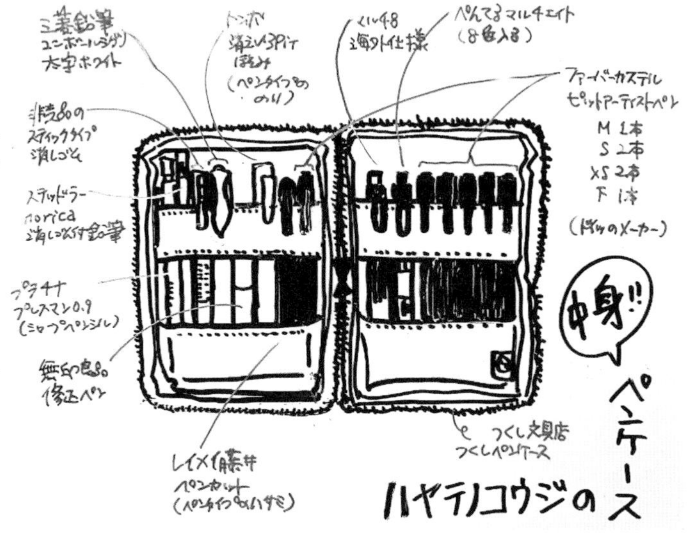

スケッチを描くツールについて考える

01-ボールペン

さらっとスケッチしたり文字を書いたりできる

本来は文字用なのでどんどんラクガキして遊ぶべし

ペンによってインクが異なる

02-鉛筆

やわらかいので描きやすく、消すこともできる

下絵を描いたり紙面にレイアウトの線を引いたりいろいろと使えるベンリなツールです

線を描くトレーニングに

03-ミリペン

いろんな太さのペン先を使ってアクセントに

ミリ単位で用意されているので選ぼう

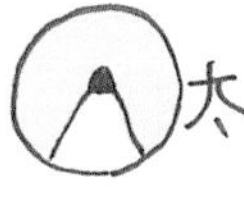

見出しやメインの絵に使う

アクセントをつけたい線に使う

本文やキャプションに使う

04-マーカー

豊富な色を使いにぎやかな紙面づくりに

05-消せるボールペン

ボールペンと鉛筆のいいところ取りで助かる

尻のところに消すためのパーツがついている。消えてしまうという心配はあるものの、間違ってもすぐに修正できるので時短になる。（高温の車内は注意）

06-筆ペン

使いこなせるようになると一気にアート風に

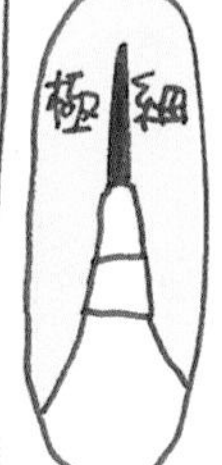

顔料インクの筆ペンで見出しを書くとまるで雑誌のような感じになる。

筆ペンで絵を描けるようになるとマンガ風に。

07－万年筆

インクと文字の上品な組み合わせが良い

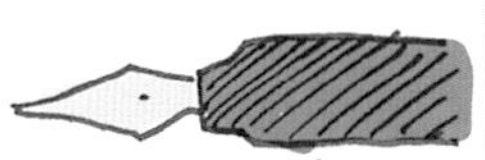

万年筆は文字がスラスラと書ける上に独得の方法でスケッチも可能。

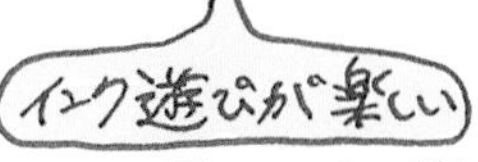

08－ガラスペン

インク保有者にはカラーの使いわけがオススメ

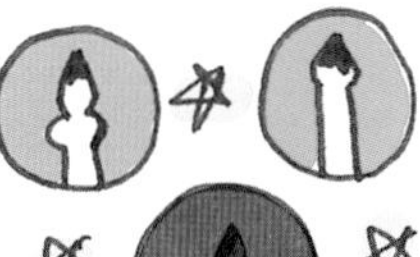

ガラスペンは洗えば多くのカラーインクをつけることができる。数本同時に使うと便利。

09－つけペン

筆圧やインクの量でダイナミックな表現を出す

竹製のつけペン、メタリックやガラスなどに交換できるタイプ、マンガ用などがある。

ペンと紙の相性①

万年筆
ガラスペン

インクを楽しむツールの場合

↓

専用の紙を使った手帳、ノートを選ぶか、裏側を使わないかを検討する必要があります。

ペンと紙の相性②

マーカー
筆ペン
つけペンなど

表現の幅を広げるツールの場合

↓

手帳、ノートの未使用ページでどんなかんじになるのかを試してみてから使いましょう。

その他のツール

ペンケースのタイプはいろいろあるので、自分のペンに合ったツールを探してみるのも良いでしょう。

Step5：スタイルの選択

道具が決まったら、次はこの道具を使ってどのようなスタイルでスケッチジャーナルを表現していくのかを考えます。まず**文字と絵のバランスが均等なものをスケッチジャーナルの基本形とすると、そこから文字を減らしていくパターン（スケッチ帳や作品集、アルバム等）と、絵よりも文字の方のボリュームを多くするパターン（日記やエッセイ、ライフログ等）があります。**

他にはあらゆる材料を文字と絵にこだわらずに自由に集めていくパターン（コラージュ）、1ページ1コンテンツで整理していくパターン（コレクション）、パンフレットや切り抜きなどをテーマにそって貼り、そこに絵や文字を追加していくパターン（スクラップ）など。スケッチジャーナルは自由なのでこれ以外にも考えられますが、私が作ったことがある範囲ではだいたいこのくらいのパターンになります。

スケッチジャーナルのスタイル（要素）

テキスト量、写真の有無、色数、飾りの素材などを組み合わせるほか、絵にこだわらないパターンまで、スケッチジャーナルのスタイルに型はない。

誰かの制作スタイルによる作品がとても好きで、自分でもそのスタイルを真似したい場合など、スタイルを先に決めて、それに必要な道具を揃えていくパターンもあります。またそれぞれのスタイルの中でも、テキスト、絵、飾り、写真、紙素材、色の具合なども細かい調整が可能です。このようにカスタマイズ性が高いのもスケッチジャーナルのメリットだと言えます。

スケッチジャーナルのスタイル

自宅や実家にある文具を活用するヒント

文具は使ってこそ文具であると、いつも思っています。各メーカーのさまざまな商品を使うことで、筆記具とノートの相性や自分の好みがだんだん見えてくるからです。

私は以前、文具を大切に慎重に使う傾向がありました。けれど、文具のストックがどんどん増えてくると保管する場所が無くなってきます。本も好きなので収納場所に限りがあります。したがって文具はどんどん使って、もう読み返す必要がなくなったノートは裁断して廃棄します。その間にまた別のノートを買ってしまうので、このサイクルは止まることがありません。

ハードカバーのノートの価格は確かに高いですが、優れたデザイン性やブランドの持つ歴史などを感じることが醍醐味です。10年などの長期保管の際に安心できます。このタイプは全ページを埋めると「世界に1冊の自分の本、自分の歴史書」みたいな雰囲気の作品になるので、旅行記やコレクションを作る時にお勧めしたいです。

ノート

ノートは全てスケッチジャーナル作品のキャンバスとして利用可能です。日本製から海外のものまでたくさんの種類があります。使用する筆記具に合わせて、デザインやサイズなど自分の好みのノートを見つけましょう。ノートは何冊あっても良いです。どんどん使って実験してください。そして、1冊で良いからハードカバーの高級ノートを持って、じっくりと触れ合っていただきたいです。

メモパッド・レポートパッド

ノートや手帳に直接描くのではなく、メモ用紙やレポート用紙を使った創作を行い、それを本体に貼るという方法もあります。また、失敗を隠す時には上から紙を貼ります。インクや絵の具を別の紙で使い、それをカットして本体にレイアウトすることもあります。「貼る」、「切る」などのアクションも取り入れてアレンジしてみてください。

色紙・折り紙

色紙や折り紙は、それ自体に色が付いているのでノートや手帳にコラージュしたりスクラップしたりして、デザインに使えます。1つの色紙の中に文字と絵を描くだけでもかっこいいですし、いくつかの色を組み合わせて伝えたい内容をビジュアルで表現するのもオシャレです。未使用の折り紙が部屋のどこかにあったら、キープしておきましょう。

もし自宅のノートのストックが多すぎる場合は、私が「ゼロノート」と呼ぶネタ帳に使ってください。1日の記録、アイデア、仕事のメモ、創作のメモ、1人ブレスト、アイデアスケッチ、ラフスケッチなどに使っていくと数日でページが埋まる時があります。使い切った充実感と商品によって異なる手触りの感触が心地よいです。なるべく近くにおいてあらゆることを記録しましょう。

小さい文字を書いてじっくりと大切に使うのも素敵だと思いますし、大きくざっくりと書いてページを大胆に使うのも気持ちが良いと思います。

「実家で誰かが使っていたと思われる多色セットの色鉛筆を見つけた」という状況をSNSで見かけたことがあります。もう使ってない文具、というのを発掘するのは楽しいですね。もったいない精神で保管しておいた文具だけでなく、海外旅行で手に入れた紙類があれば、それをマスキングテープで貼り付けるといったアイデアもアリです。とにかく文具や画材はスケッチジャーナル作品の材料なので、どんどん使っていきましょう。

色えんぴつ

どこかに使い忘れた色えんぴつが眠っていないでしょうか。部屋の中からぜひ見つけてください。水性の場合は「水筆」などを利用して水彩絵の具のような風あいを表現できます。油性の場合は濃くて強い色みを使ってメリハリのあるスケッチを創ることができます。他にはパステルタイプやクレヨンのような商品もあるので、画材店で試してみるのをおすすめします。

マスキングテープ

ついつい買ってしまって、使っていないままのテープが部屋のあちこちに置いてあるよ、という皆さんには、スケッチジャーナルづくりでどんどん消費していただきたいです。ノートや手帳のページがとてもにぎやかになり、ガイドや飾り、アクセントにも活用できます。表紙にさまざまなテープをたくさん貼ることによってオリジナリティーを出していきましょう。

コレクション

記憶に残したいシーンやモチーフ、食べ物等をスケッチして１つの作品に。

My week memories
Koji Hayateno
M
Comfortable cafe
T
Lemon sour
W
Coastal town
T
Cosmos and bees
F
S
S
Coffee float
23
BALMUDA
BALMUDA
ENJOY
→ENJOY
ちょっとうれしかった
24
Aalto bowl
球根が登場
25
ブロッコリー油蒸し
オリーブオイルでカンタン
BROWN mushroom
26
BRAUN quarz
自宅で2台活躍中
27
カラフルなカレーL
キーマカレー
スープカレー
最高のLunch Time
28
カスタードプリン
29
カモの休憩
どうやって上がった?
1
2023
JANUARY
Weekly
Sketch Journal
Koji Hayateno

スクラップ

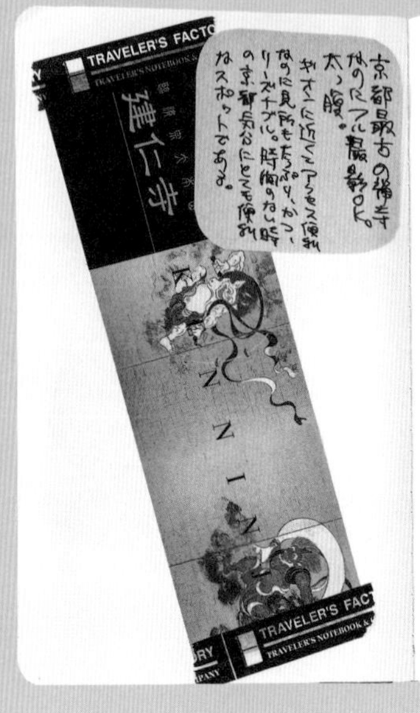

手に入れた紙の素材（チケットやパンフレット、雑誌の切り抜き等）を貼っていく。

コラージュ

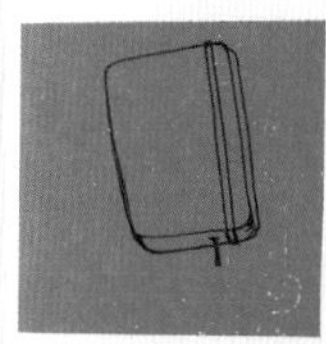

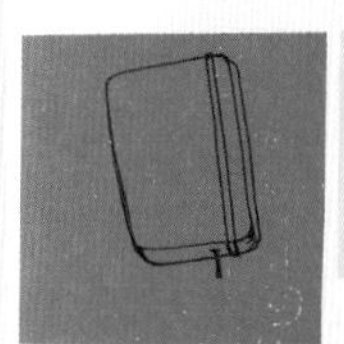

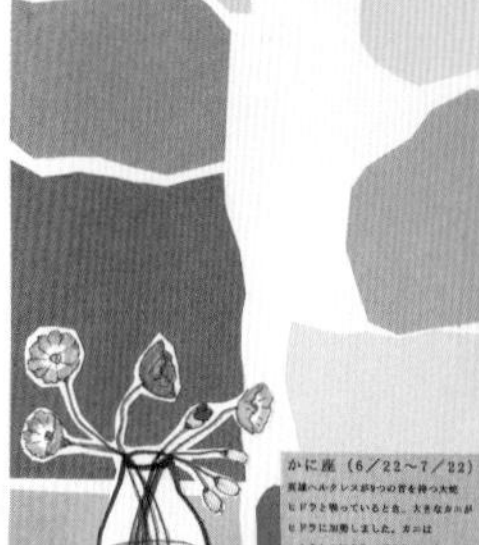

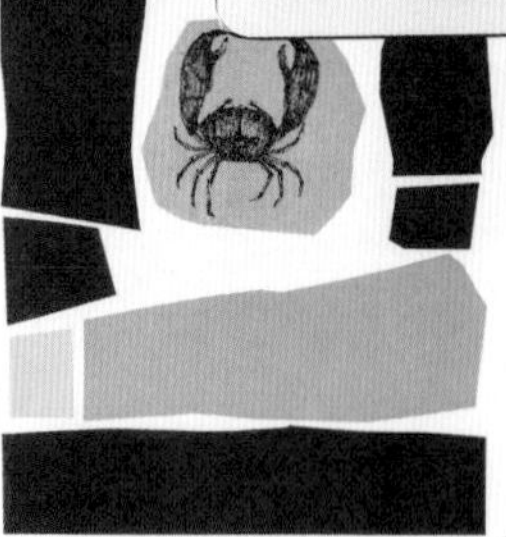

コラージュ

自分の好きな紙を用意して、ページ内で自由に表現してみる。貼った紙の上にホワイトのペンなどで描いてみるとお洒落な雰囲気が出来上がる。

日記・エッセイ

なんちゃって作家の気分で自分の日常をエッセイ風に綴ったり、日記を大げさに書いてみる。

ライフログ

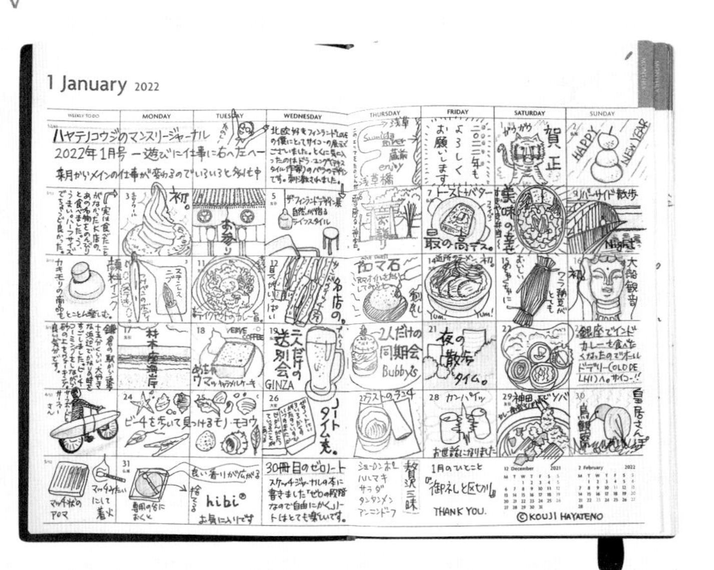

手帳のカレンダーページを利用したマンスリージャーナルは、1カ月間の自分の行動や心情が一目でわかるライフログ。

スケッチ帳

スマートフォンやカメラで撮影したスナップ写真を元に、自分の心に刺さったシーンを風景スケッチとして描いていく。

アルバム

写真をカラープリントしてカットし、ノートに貼っていく。写真は蛇腹型のノートの特性を利用して、横長の風景写真をデザインした例。

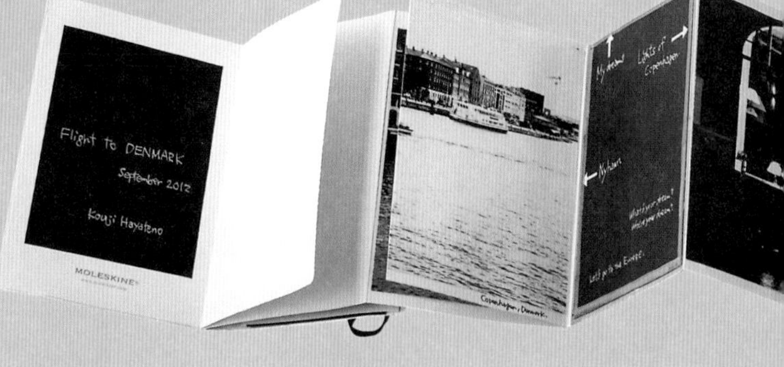

京都メモリーズ
鴨川ランデヴー
モレスキン絵日記
稲村ヶ崎編
2010.06.12
スウェーデンの海、夏の日。
デンマークに行く理由。
デザイン、ライフスタイル、フード、ソサイエティ、そしてスマイル。
理想がそこにあるから、行く。
北欧→フィンランド→デンマーク
そして2度目で確信した。心はここにあった、ということ。

評価モードで
気分を上げる

> スケッチジャーナルを使って「自分にとっての心地よい暮らし」を再確認。生活と心に良い変化を生み出しましょう。

出来上がった作品をポジティブに味わう

スケッチジャーナルは手帳やノートに情報をまとめていくシンプルな作業を行います。この一見すると単純に見える過程では、**「楽しいこと」を増やして「不快なこと」を減らすことを目標にしています。**これは長期的に設定する継続的な目標として捉えてください。同時に「望まないこと」を知って「望むこと」を知るという一面もあります。あなたも経験済みだと思いますが、ふとした瞬間にネガティブなことを考えてしまったりするのではないでしょうか。だからこそポジティブに気持ちを向けていくときは、しっかりとその方向に体と心を向ける必要があります。

そこでスケッチジャーナルを活用します。やり方は簡単。スケッチジャーナル作品の中に心地よいものを集めるだけです。**自分が好きなもの、好きな空間のこと、ワクワクすること、ウキウキすることを記録する。ページにはビジュアルを使ってどんどん描いていく。そして完成したスケッチジャーナルを眺めてみてください。**ポジティブな体験と、最初はネガティブに捉えたけれど自分で解釈してニュートラルに転換できた体験が描かれていますか？

「そうだこの日は大変だったけれど、
人生の転機とも言える出来事があったのだった」
「この飲み会で食べたもつ鍋が美味しかったな」
「散歩中に見かけた可愛いワンちゃん、よく描けている」

こういった感じで、記憶を再び味わってください。私は長年スケッチジャーナルの制作を続ける中で、この行為を**「記憶の再食」**と名づけています。もちろん写真を見れば当時の様子が写っているわけですが、**スケッチジャーナルに描いた思い出は記憶を呼び起こすスイッチのようなもの**なのです。

逆にここにネガティブなことを描いていた場合を想像してください。嫌な体験を思い出すなんて、ゾッとしますよね。ネガティブな体験も自分なりに解釈して変えていこう、と言うのは簡単ですが、どうしても前向きな気持ちが沸き起こらない状態や、心のわだかまりが消えない時には、その作業はちょっときついかもしれません。

そんな時はゼロノートに内面から溢れ出るものをすべて書き出してみましょう。いったい何に心配をしていて、何が不快で、望まないことが起きているのか。そしてなぜそれが起きているのか。この分析は長い時間をかけても大丈夫です。**ゼロノートにはネガティブなことを書いても問題ありません**。そして現在はどのような意識にあるのかを考えてみます。

ポジティブ、ニュートラル（中間）、ネガティブに関連するキーワードを挙げてみると、下図のようになると思います。ゼロノートで書き出した要素は、どれにあたるでしょうか。振り返ってみてください。**ニュートラル以上のキーワードが、スケッチジャーナルに描いてもいいネタになります。ネガティブであってもニュートラルかポジティブに転換できる場合があるので、いろいろな視点から考えてみましょう**。自分ではどうしても転換できない場合は、友達や家族にうち明けてみると、客観的なヒントをもらえるかもしれません。

スケッチジャーナルに描いていいネタは「ニュートラル」以上！

状態	キーワード
ポジティブ	至福、幸せ、愛、喜び、嬉しい、幸運、成功、成長、悟り など
ニュートラル	楽天的、平穏、平和、安定、無難、順調、復帰、復活、機会 など
ネガティブ	不満、悲しみ、恐怖、嫉妬、失望、絶望、後悔、怒り など

再びのゼロノートで意識を変える

それではゼロノートを使ってモヤモヤを解消していきます。**ページの真ん中に垂直の線を引いてください。あるいはノートを開いて左側のページ、右側のページを使います。左側には「望まない状態（現状）」を書き、右側に「望ましい状態（今・未来）」を書いていきます。**ビジネスで活用されているフレームワーク（「As is：現在の状態」→「To be：理想の状態」）と同じです。

左から右に状況説明をしていくことで、ギャップが見えてきます。これでかなり気持ちがすっきりしてきます。**ギャップを埋めて望ましい状態への変化を実現するためのアクションも考えましょう。**楽しい記憶や好奇心が足りないのが要因であれば、行動して新しい刺激を心に注入してください。そしてこの思い出をスケッチジャーナルの中にマッピングしていけば、ちょっと弱くなりかかっていた自分の心を取り戻すことができるでしょう。

物事にはポジティブな面もネガティブな面も含まれていることを理解して、なるべく楽しい状態に転換できるような努力を行っていけば、恐怖心や緊張感が突然出てきたとしても怯えない自分を維持することができます。

このような理由から、スケッチジャーナルの作品の中にマイナスの情報を描かないようにすることが大切なのです。恐怖や緊張は新しいことにチャレンジしている証拠。自己肯定を常にイメージして、未来志向で「やりたいこと」を中心に考えていきましょう。

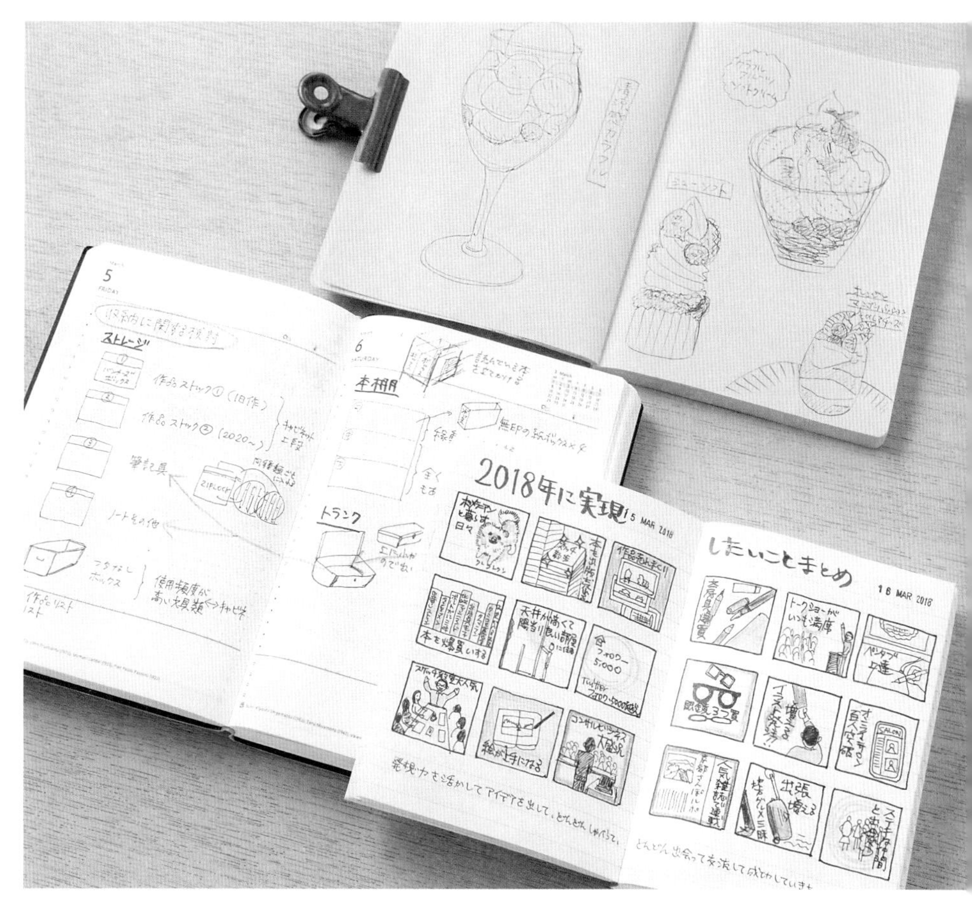

「As is」と「To be」が書き込まれたハヤテノのゼロノート。

スケッチジャーナルで人生をコントロールする

ここまで読んでいただいて、スケッチジャーナルは複数の要素が組み合わさったシステムであることがわかったと思います。この仕組みによって、自分の人生のコントロールに挑戦します。**ここでは5つの要素について解説していきます。**

時間

スケッチジャーナルを作るために、カレンダーの予定を確保して未来を先取りし、創作の材料を集めるための行動や創作活動によって現在を楽しみ、完成した作品を見て過去を再び味わう。このような流れが出来上がると、幸福な時間を管理できるようになってきます。

スケッチジャーナル実践の基本は行動することなので、休日の予定を確認して創作に使う時間を押さえ、さらに平日の自由時間の予定を決めてしまいます。例えば基本的には日曜日に創作するとして、描きたい絵の取材日を土曜日と決めます。このようにして余暇の時間帯でも仕事と同じような目標管理の条件が揃っていきます。

自分のプライベート時間こそしっかり管理しないと、せっかくの休日を無駄に過ごしがちなので、頑張って三行日記だけは寝る前に書いて、その日の出来事を自分で解釈していきましょう。そこで今後のやる・やらないを更新することで、時間利用の効率化を目指します。スケッチジャーナルに使う時間を分割すると、①制作、②取材（情報・ネタ）、③企画（アイデア出し・整理）、④仕入れ（材料・道具）、⑤気分転換（散歩、模写、スクラップ、読書等）くらいになると思います。時間は限られていますから、予定に注意を集中させる習慣が身につきます。

私の場合、まず**自分の時間を記録しました。その時の気分も記録します。自分で集計用紙を作って、30分単位で分割したログを書き出す。**これは5年間くらい真剣にやったと思います。友人たちはこの集計用紙やバーチカルの手帳を見て、かなり引いていましたが、**自分の時間の何%が集中できていて、何%がそうでな**

いのかが可視化されていきます。

さらに時間管理の本をいろいろと読み、時間が出来事で成り立っていると知りました。心理学の本から、解釈は自分で決めれば良いと学びました。そこで詳細な時間記録からは卒業して、その日の出来事をそのまま書くのではなく、いったん冷静になって考えてみることにしました。こうして、一見するとピンチな状態が、よく考えるとチャンスである、ということがわかったのです。

スケッチジャーナルでは「時間」のほか、ネガティブになりがちなさまざまなことがコントロールできる（詳細は次ページ以降参照）。

出来事の解釈

以前はその日にあった出来事をそのまま、ありのままに書いていました。それが寝る前であれば「今日は最悪の日だった」と締めく

描く・描かないは解釈で決める

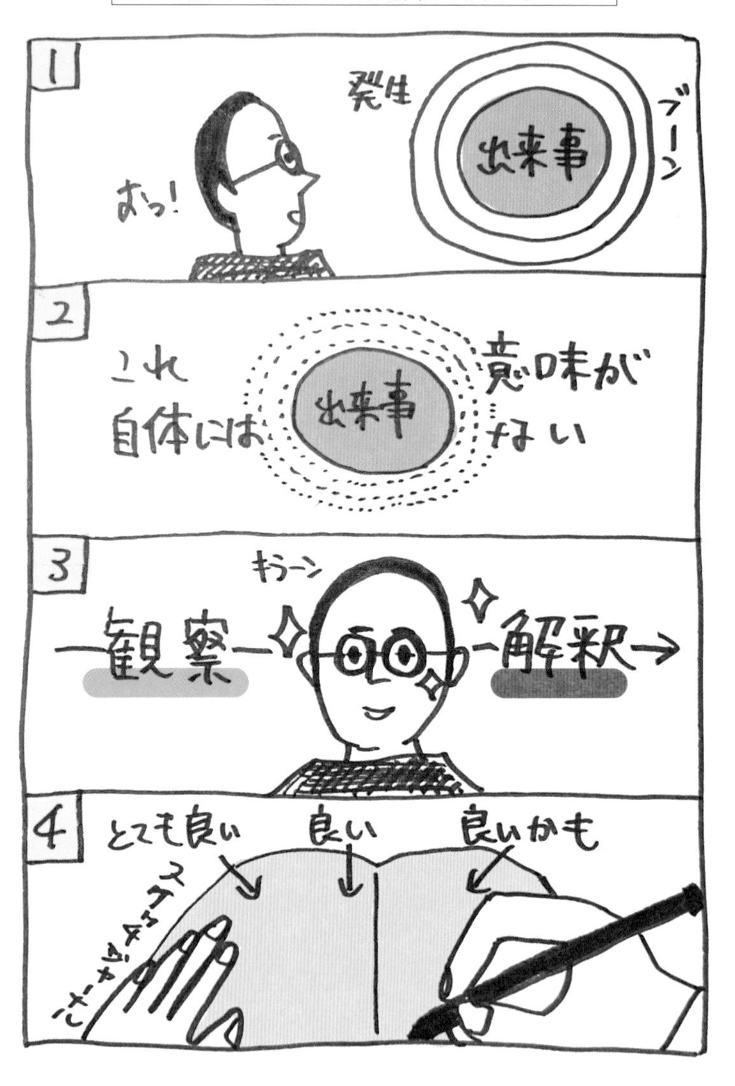

くる時もあります。そこまで日記に書いたのに、その日記は見返すことがありません。見たくないのでしょう。先輩にビジネスのしごきを激しく受けた時の悔しさ、初めての仕事を振り分けられた時の不安、人がやるべきだったことを丸投げされた時の失望感。まだ何もわからなかった**主観だらけの視点では、出来事は実際よりも悪く解釈されていたと思います**。しかしながら他の人たちと同じく、創意工夫をしたり社会の荒波に揉まれてたくましくなりました。

出来事は良くなかったけれど、解釈で良く転換できた例

1〜3までは「ゼロノート」に書いて、いろいろぶつけてもOK。スケッチジャーナルの基本情報をまとめる「三行日記」には4だけを記録する。

心理的エネルギー

現在ではこれを三行日記に活かして、ポジティブに解釈をするようになりました。もちろんネガティブなままの出来事もあります。これは「もうやらないリスト」にまわして、文字通り再発や再体験を防ぐようにしています。それでもまたやってしまうのです。

私がポジティブとネガティブについて調べていた時に、「レジリエンス（嫌な気分をもとの正常な状態に戻す力、歪みを跳ね返す力）」という言葉を見つけました。そして出合った『レジリエンス入門 折れない心のつくり方』（内田和俊著 筑摩書房刊）には人が嫌な気分になるメカニズムとその対策について書かれていて、性格は「感情」「思考」「行動」の3つの要素で構成されていることを知りました。

感情はコントロールするのが難しいものです。一方、思考と行動は自分でコントロールすることが可能です。そしてこの3つの要素は連動性があり、どれか1つがポジティブな方向に向かえば、他もポジティブに向かうということです。つまり**スケッチジャーナルは未来を構想して「行動すること」を前提にしているので、創作活動でポジティブになれば性格全体にも好影響を与えます。**

自分でも仕事が多忙だったり心が疲れている時に、あえて絵を描くことに集中して元気になった経験があります。ちょっと悶々としている時、行動して思考や感情を変えればいいとすれば、今すぐにでもできるのが「ノートに心のうちを書き出す」ことです。現

性格の３要素は連動する

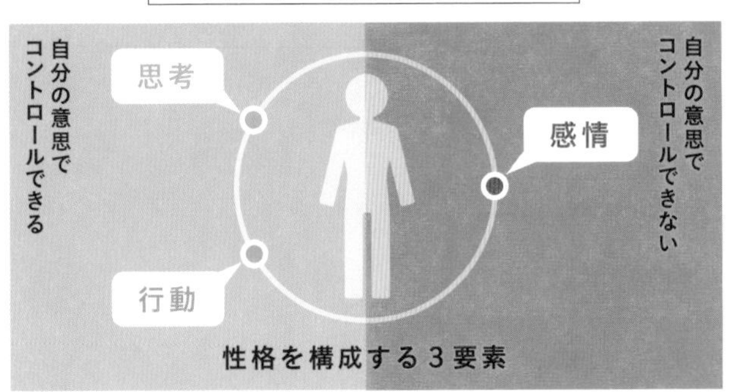

状はどうなのか、それをどう変えたいのか。その体験はポジティブに解釈できるのか。とにかく何かあったらノートに書いて心の整理をするのです。

ネタ帳は携帯するので、紛失や見られてしまうリスクを考慮して、あまり赤裸々に書かないで、自分だけがわかる略称やコードにしておきましょう。

次にすぐにできる行動は散歩です。一定の速度で歩いているとだんだん気持ちが落ち着いてくるし、移り変わる風景によって気分転換をすることができます。あれ、何に怒っていたんだっけ、何にモヤモヤしていたか忘れてしまった、といった変化を感じるかもしれないし、別の解釈を思いつくかもしれない。ポジティブな影響を与える要素もノートに書き留めていくのがオススメです。

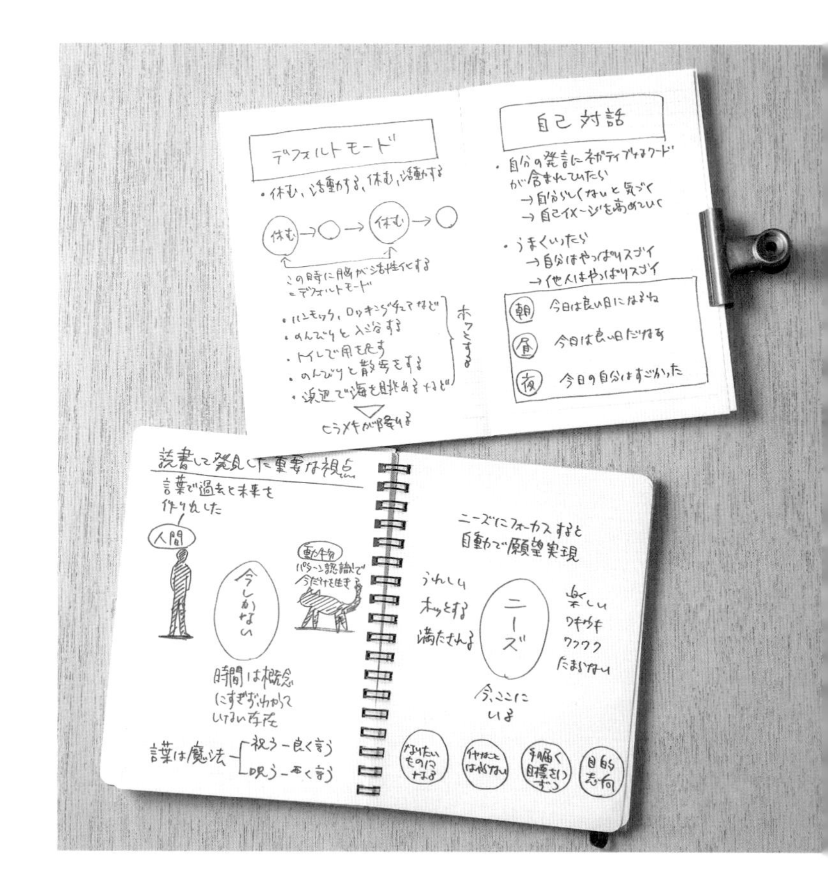

興味関心

いろいろなことに興味関心を持つのはとても良いことです。気になったらネタ帳にどんどん書いておきましょう。でも自分の時間や対応能力、心理的エネルギーには限りがあるので、実際に制作するテーマは絞り込む必要があります。

そこで**テーマ選びの基準としたいのが、Easy（自分にとって簡単で）、Effortless（努力なく）、Enjoyable（楽しめる）かどうかの判断**です。この3つのEに当てはまらないで、描きたいテーマがこの逆だった場合、続けることができそうでしょうか。必要に迫られて訓練しなければならない場合を除き、自分にとって難しくて、努力が必要で、楽しめないテーマはあなたの創作テーマに向かないはずです。

私の場合の3つのEを満たすテーマは「旅・絵・文具」でした。コロナ禍で旅のテーマを集めるのが難しい時期が続きましたが、それでも東京散歩を旅と捉えて楽しみました。

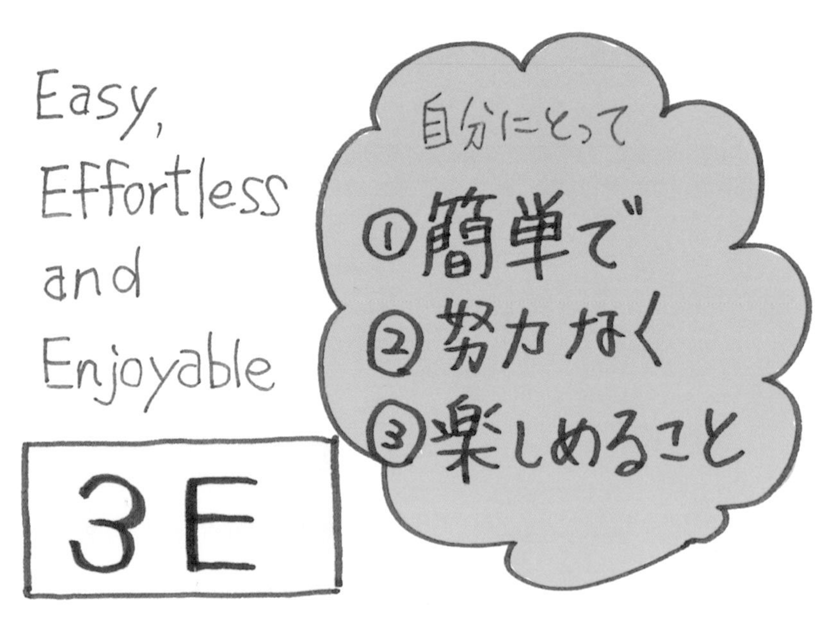

テーマ選びで大切なのは、「3つのE」。

スキル

あなたが大人になってから創作活動を始めた以上、美術的なスキルを総合的にイチから学ぶ時間は限りなく少ないと思った方がいいでしょう。そのため**自分の画風、自分の創作スタイルに合うスキルは何なのか、どんなテクニックを身につけた方が良いのかを見つけ出す必要があります。**

そこでまずは絵を書いてみて、自分流のやりやすさ、やりにくさを実感することから始めます。それから1つずつ習得すべきスキルを探ります。幸いにもスケッチ技法をまとめた本はたくさん出版されていますし、動画サイトの視聴やオンラインレッスンサービスの利用によって教室に通わなくても学習する機会が準備されています。

スキルはチャレンジと没入に大きく関係しています。**スキルばかり身につけてもワクワクしないし、チャレンジが高すぎると先に進むことができなくなってしまいます。**そこでスケッチジャーナルでは小さく段階を踏んで自分のスキルを必要に応じて選択する方式をとっています。

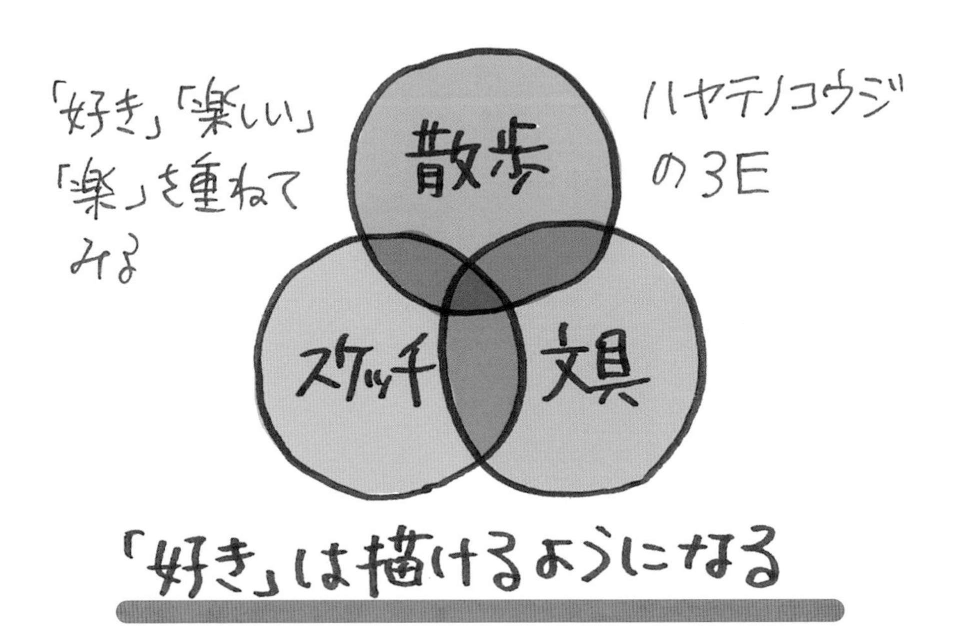

例えば手帳の月間カレンダーページに絵を描くマンスリージャーナルの場合は1つのマスはだいたい3センチメートル四方の四角形です。このマスを1カ月分埋めていくわけですが、私のスケッチジャーナルセミナーの参加者からは「このような小さいマスであればなんとか描ける」とか「1カ月分を埋めるのはゲーム感覚で楽しめる」といった感想をよく聞きました。

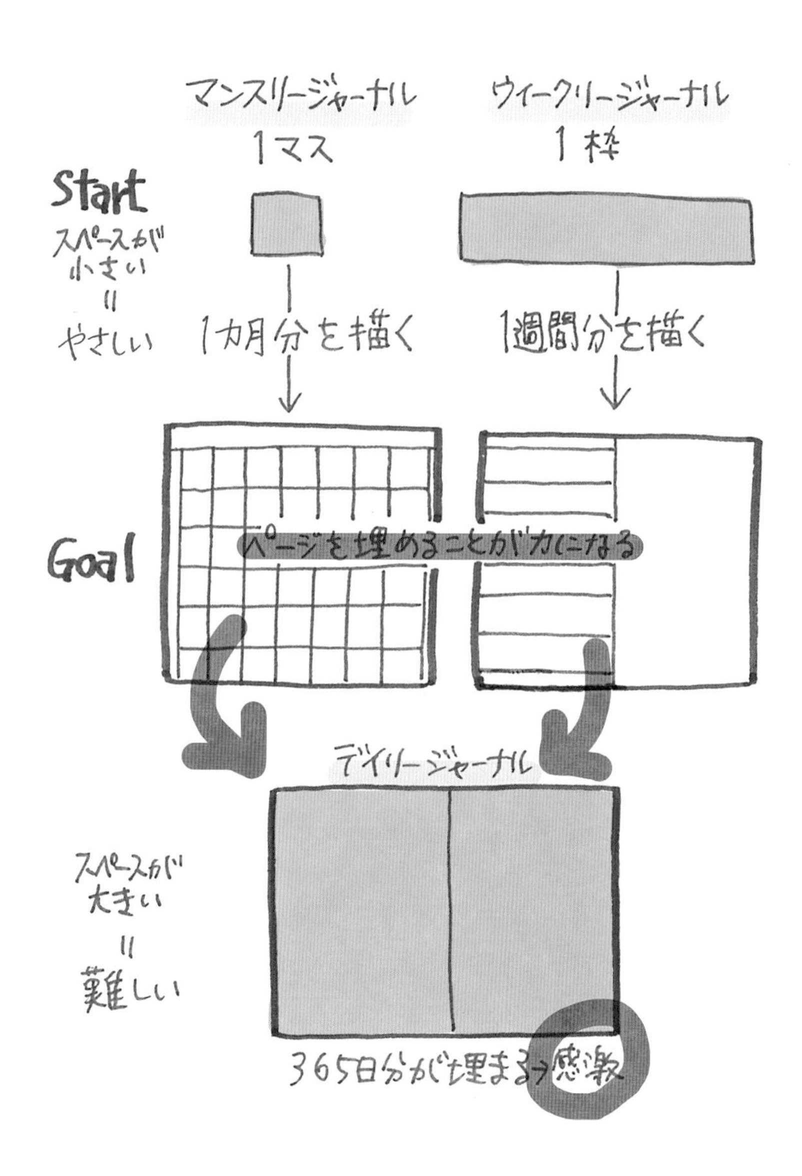

カレンダーをクリアしたら、1日1ページにチャレンジするなど拡大していくことで強化したいスキルを探ります。下の表は、スケッチジャーナルを続ける中で私が見つけた、これから身につけていくと良い、あるいは持っていると良いと思うスキルです。

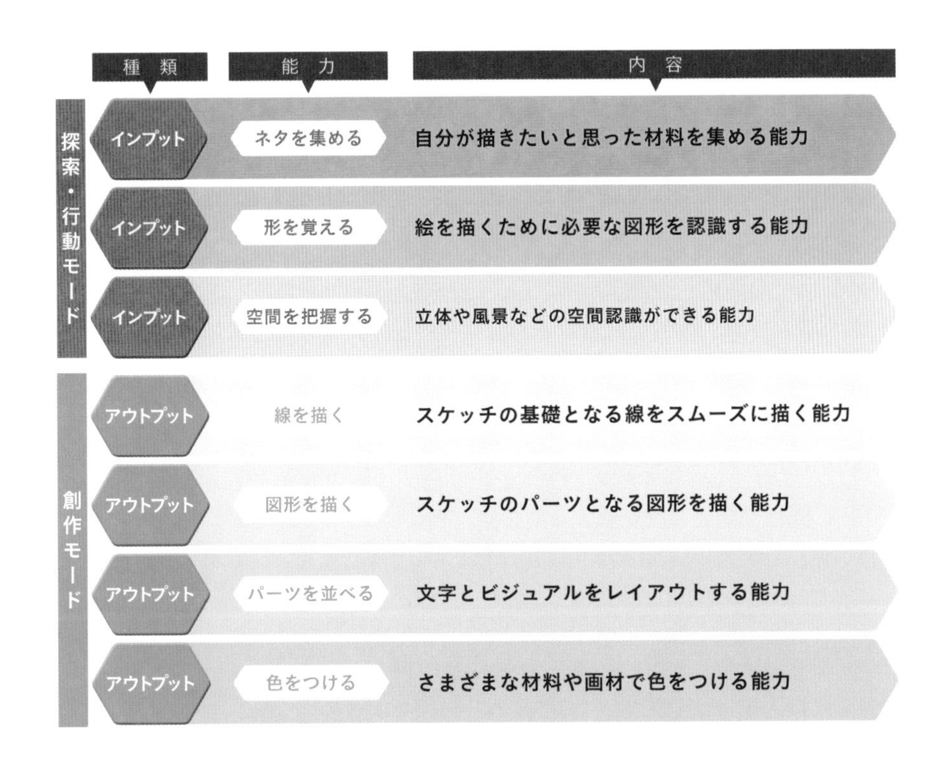

	種類	能力	内容
探索・行動モード	インプット	ネタを集める	自分が描きたいと思った材料を集める能力
探索・行動モード	インプット	形を覚える	絵を描くために必要な図形を認識する能力
探索・行動モード	インプット	空間を把握する	立体や風景などの空間認識ができる能力
創作モード	アウトプット	線を描く	スケッチの基礎となる線をスムーズに描く能力
創作モード	アウトプット	図形を描く	スケッチのパーツとなる図形を描く能力
創作モード	アウトプット	パーツを並べる	文字とビジュアルをレイアウトする能力
創作モード	アウトプット	色をつける	さまざまな材料や画材で色をつける能力

大きく分けて「インプット」と「アウトプット」としています。インプットとアウトプットという言葉は、仕事やビジネス書などで聞いたことがあると思います。簡単に言うと**興味関心から集まってくる情報を自分の中に入れていく方法や作業をインプット、それを自分の中で調理して作品を生み出していく方法や作業をアウトプット**としています。

インプットは作品を作る、自分のスキルを向上させる、足りない部分を見つける、興味のある分野に出合う、といったあらゆる形式の情報収集活動です。アウトプットはスタイルやアート、メッセージなど自分から生まれたすべての作品に含まれる表現でもあります。自分の発想力や視点を増やすためには、好奇心に身を委ねて行動し、いろいろな要素を吸収してアウトプットすることが大切です。

ポイントは、とにかく好きなもの、気になるもの、驚いたものをノートに拾っていくこと。**私は「グッとくるもの」「絵に描きたいと思ったもの」「参考にしたいもの」を集めるのを生きがいとしています。**スマートフォンの中の写真やメモ、ネットに保存しているデータ、目の前のノートに描いたアイデアなど、コレクションはワクワクする宝物です。ここからたくさんの作品が生まれてくるのです。

アウトプットを楽しく続けるポイントは、好きなものをどんどん描いていくことです。お気に入りの道具と自分らしい表現方法、試してみたいスタイルで、とにかく数をこなしましょう。できれば没頭して時間を忘れるほど創作活動の中に身を置きたいので、集中を邪魔する要素や作業しにくい状態、描こうと思ったけれど今は難しい素材などは調整していきます。私の場合は例えば**複雑な形をしていたり、模様やデザインが細かいものは、そもそも描く対象として外す、難しい部分を省略する、別のモチーフをかぶせるといったアレンジ**をしています。

あくまでも簡単で、楽しく、努力がいらない方法を見つけましょう。これは人によって違うので、行動して発見しなければなりません。宝物探しだと思って取り組むと良いでしょう。好奇心が刺激されるし、自己表現ができるようになった時の喜びがたまらないはずです。

最初はできることが限られているので、描いてみて失敗だと思ってしまうのは仕方がありません。でも**スケッチジャーナル活動に失敗はないのです。すべて自分の中から生まれた文字やビジュアルなのですから。**まずは「使いたい」「やってみたい」「こんなふうに描きたい」という「Want to」を集めましょう。絶対にやってはならないのは、「やらねば」「続けなければ」といった「Have to」の気持ちで取り組むこと。

「いつかやろう」の「いつか」は来ないかもしれません。人生の残り時間 ── これればかりは運命なのでわからないのです。それならば「今持っているスキルや道具でなんとかやってみよう」が正解。頭で考えているだけでは何も始まりません。スマートフォンをどこかに置いて、代わりにペンを持ってノートにどんどん描いていきましょう。

自分なりに工夫してやってみることを、フランスの文化人類学者レヴィ・ストロースは「ブリコラージュ」と呼びました。私が好きな言葉です。ベストセラー『野生の思考』の中で知った言葉で、日本風に言うと「ドゥ・イット・ユアセルフ」のこと。フランスのホームセンターのDIYコーナーには「ブリコラージュ」と書かれた札が掲げられているそうです。

３つのインプットで探索＆行動モードに潤いを

ここからは、私が続けてきた創作活動の中で、身につけていくと良いスキルについて、もう少し詳しく紹介していくことにしましょう。

１番目は「ネタを集める」。これは、自分が描きたいと思った材料を集める能力です。集めることなんて誰にでもできると思いますよね。でも今よりももっと敏感になって、気になるものを積極的に集めていきます。文具好きならメモやノートをたくさん持っていると思うので、どんどん使いましょう。

スマートフォンでスナップ写真を撮り溜めて、メモアプリに記録して、音声データを録音して、ムービーを撮って、気になるアーティストをフォローして、ブックマークして……情報収集手段は目の前にあります。

アナログな情報収集もオススメ。ノートやスクラップブックに雑誌やパンフレットなどの切り抜きを貼ったりレシートを貼ったりプリントした写真を集めましょう。買ったばかりのマスキングテープを貼り溜めておくと、どんな柄を持っているか把握できていいです。
前述したように私はこの活動を「サンプリング」と名づけて、起きている間はずっと行っています。**最高で最強のサンプリングは、自分が興味のあるアーティストの展示会に行くこと。**故人の大規模な企画展が美術館で開かれていますし、活躍中の人は各地のギャラリーを使って展示販売を行うことがあります。本人に会えるのならば、なおさら興奮してエネルギーやパワーを体験できるかもしれません。

２番目は「形を覚える」で、これは絵を描くために必要な図形を認識する能力です。例えば目の前に珈琲カップがあるとします。よく観察してみると、曲線と円、線でできていることがわかります。おそらく絵を描かない人は、あまり物体をじっくり見ることがないのではないでしょうか。描きたいテーマや描きたいものに関係する形について研究することはとても大切です。

サンプリングを毎日続ける
ー自分の作品づくりの材料へー

起きている間は、すべてサンプリングの時間。時間が好きなもので満たされるからこそ、私はハヤテノコウジでいられるのです。

SNSに食べ物の絵がたくさん上がっているのは、1日に数回は間近で見るからでしょう。形がわかりやすく身近なモチーフだからだと思います。形を知っていれば、何も見なくても描けるようになります。**絵を描く能力は「形の理解×描画テクニック」。**だから自動車や電車の構造に詳しいお子さんは、自動車や電車を絵にして遊ぶのです。もしもあなたが猫を飼っているなら、毎日お世話をする中で猫の体の仕組みをよく知っているはず。試しに猫の絵を描いてみてください。きっと描きやすいはずです。

私たち人間の形も何頭身（あたまの長さと身長との割合）なのか、子どもなのか大人なのかシルバーなのかによって形が違います。このように**形を考え始めると日常生活も楽しくなってきます。**

形を考え始めると、さまざまな角度から観察したくなります。

3番目は「空間を把握する」です。描きたいものが空間である場合、高さ、幅、奥行きという3つの要素（3次元）を確認する必要があります。プラスして、時間も考慮すると4次元となります。空間はパースという建築の手法を覚えることで描きやすくなります。施設や風景の構造がどうなっているかを観察する習慣をつけてみましょう。

かなり細部にわたるまで描きたい人は、実際に立体物や風景の前に立ち、自分の目でじっくりと眺めてみるといいです。私は神社仏閣の絵をよく描いていた時期がありまして、建物の構造を目の前で眺めることで、やっと理解できた経験があります。「こうなっているのか」を発見できたのです。ビルも窓の配置や長さなど、建設された時代や国によって違いがあるので、しっかり観察するとなかなか面白いですよ。

逆に細部は省略して抽象的に表現するのも面白いです。最初は写真のような精巧な絵を描いていた画家やイラストレーターが、だんだんシンプルな線や画風に変わっていくように、**ある日突然、自分にとってしっくりくる自己表現や線を発見する瞬間がある**

のです。自然を描く場合であれば、自分がいる場所から近い山と遠い山では線の強弱が違います。針葉樹と広葉樹の葉の構造の違いなど、植物の仕組みも勉強すると楽しいですね。

奥行き・遠近感のあるスケッチを描く

自然のものでも人工物でも、仕組みや構造がわかると描きやすくなる。

4つのアウトプットで創作モードを充実させる

ここからはアウトプットの解説をしていきます。まずは**「線を描く」**で、スケッチの基礎となる線をスムーズに描くための能力です。まず自分が使いたい筆記具を選びます。最も簡単なのは鉛筆です。これからたくさんの絵を描いていくにあたって、**絵の配置の目安やガイド用となる線を引く際にも鉛筆は活躍します**。ただし芯が濃いと紙が汚れる場合があり、間違って線を消してしまうリスクもあるので要注意です。

普段使っているボールペンやマーカーも馴染みがあるので取り組みやすいでしょう。ボールペンを使って短時間でスケッチできるようになると便利です。ただし本来は筆記用なので、実はボールペンでスケッチする行為は慣れるまで時間がかかるかもしれません。なお消せるボールペンなら修正ができます。ただし、自動車の中など温度が高い場所にノートを放置すると書いた内容が消えてしまう場合があるので注意してください。

他にはドローイング用のペンをオススメしています。こちらは最初から線を書くための道具なので、各メーカーの商品を画材屋さんで試してみましょう。カラーマーカーやカラーペンはさらに絵が描きやすいです。滑らかに線を走らせて、描く時の強弱の調整によって太さ細さのアレンジができます。とはいえインクなので手帳の場合はほぼ裏写りします。普通の事務用ノートも同様です。その場合は厚い紙やアート紙、画用紙などで作られたノートやスケッチブックを使いましょう。

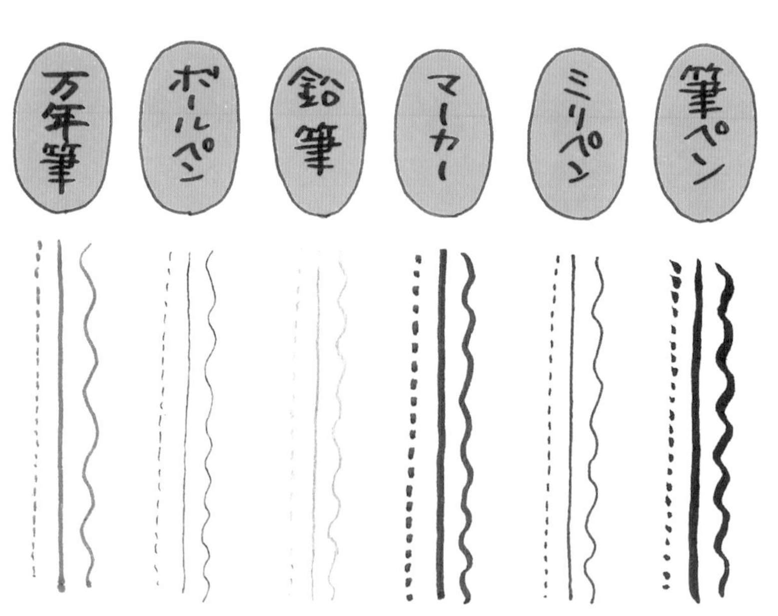

自分が使いたい筆記具の特徴を知るのも大切。

難易度は高いですが万年筆やガラスペンでのスケッチをする愛好家もいます。この場合、万年筆での筆記に最適化された紙に書くのが基本です。インクをどんどん試せる楽しさがあるので人気があり、万年筆スケッチの実践者による専門書が出ています。そして意外と見落としがちなのが、万年筆インクの中には「染料インク（水に溶けやすい）」と「顔料インク（水や色あせに強い）」がある点です。もし他の着彩方法と万年筆を組み合わせる場合、顔料インクの方が安心です。ただし顔料インクの場合は注意点があります。長い間にわたって万年筆の中に入れっぱなしにしておくと、インクが詰まるのです。私が万年筆を購入して顔料インクを使うと告げた時、店員さんにも頻繁に使用することを勧められました。

次のアウトプットは**「図形を描く」**――スケッチのパーツとなる図形を描く能力です。三角形、四角形、五角形、六角形、正円、楕円、菱形、正方形、長方形、星型、矢印型など、図形はたくさんあります。形のスケッチに慣れてくると、組み合わせたり変形させたりして、スケッチに効率よくアレンジを加えることができます。

平面での図形を理解したら、次は立体の図形を覚えましょう。立体の仕組みを知ればさらにスケッチが楽しくなります。積み木やボールなどを観察しながらスケッチの練習をしてもいいし、粘土を使って自分で形を作ってから描いてもいいです。それを紙の上に置いてみると、影も見えてくるので光の当たり具合による違いにも気づくでしょう。

目の前にある
愛用品をよく
見てみよう

愛用のマグカップ、上から
見るか横から見るか……。

自分の視点を移動させてみると、物体の形と影に変化が出てきます。例えばグラスを真上から見た場合のフチは正円ですが、視線を下げていくと楕円になっていきます。真横まで視線を下げると、もう円形ではなく線になります。この視点による図形の変化は重要なので、よく観察して確認してください。

３つめのアウトプットは**「パーツを並べる」**。デザインの世界ではレイアウトと呼ばれる技術を使用する段階です。スケッチジャーナルはノートや手帳をキャンバスにしてビジュアルと文字を配置します。この際、デザインの法則に従えば情報を統一感を持って整理することができます。**初級の段階でのポイントは、レイアウトにメリハリをつけること。何が主役で何が脇役なのか――それを読んだ時に理解できるように、パーツの大小、文字の大きさ、素材に近づくのか離れるのかといったアレンジを行います。**

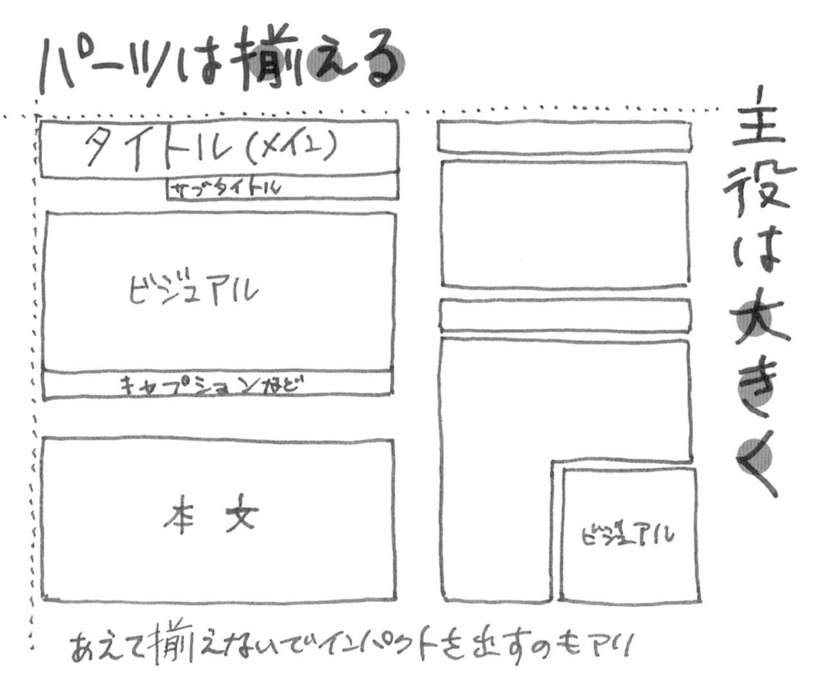

レイアウトはサンプリングした雑誌やフリーペーパーの誌面を参考に。

仕事でプレゼンテーションや提案、説明用のスライドを作ったことがある人は、そのソフトやアプリケーションを使ったことがありますよね。そういった際に「この図形、整列させて」と指示された記憶はありませんか？ きっと整列機能やガイド表示機能を使って修正したと思います。同じようにスケッチジャーナルで素材を並べる時も、並べ方に気を配ってバランスを整えることが大切です。

アウトプットの４つめは作品に**「色をつける」**作業。色鉛筆やカラーマーカーなどで着彩していきます。色の使い方には法則があるので、デザイン本や色の本を読んで、それぞれの色の持つ意味や組み合わせのパターンを学んでみましょう。色をつけるための道具は種類が多いので、自分の画風探しや表現方法に合うものがどれなのかを探す楽しみもあります。画材屋さんには使い方の解説や作品の見本が置いてありますし、試し書きができる場合もあるのでぜひチェックしてみてください。

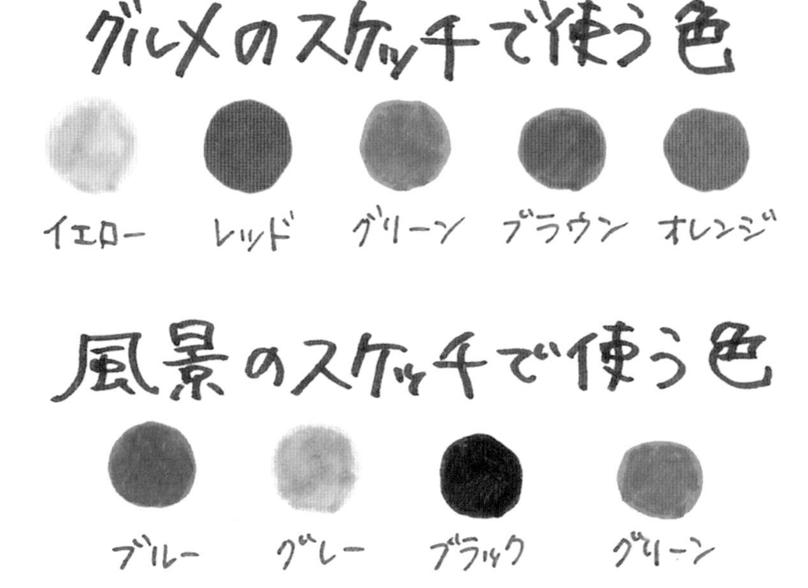

パフェのイチゴだけに着彩するなど、写真アプリっぽい表現もアリ。

Chapter

02

Sketch Journal BEGINNERS

過去(ネガティブ)との決着をつける

スケッチジャーナルを続けられるように、創作に関する
自己否定につながる要素を振り払ってしまいましょう。

久しぶりにチャーハン弁当をゲットできた!!
GOOD
NICE
チャット作戦
TODO
TASK
会
議
TASK
チョコレート
修正
部屋の桜に癒されて
原稿修正の日々です
えっと
実家のある街は江戸時代に栄えて蔵が多く、スターバックスもそれに合わせて蔵づくりになっていてカッコイイです。
がんばるよ
スウィーツ食べて
ちょっとだけ脱力。してみる
ハー
三大好物
コロッケ
ちょっとだけダラダラした
ホッ
YUM
青椒肉絲
YUM
大好物でのりきる
原稿を修正します
スマートフォンでも
灯してみたい
実家のある街の灯籠
キレイダ!
夜桜
ありがたや〜
タルトのお店でティラミスなタルトをいただく
スウィーツは正義
本づくりの学び①
使ったアイテム、制作年、キャプション、は記録しておく
本づくりの学び②
創作意欲と集中力を信じてリラックスする
本づくりの学び③
もっと良くする、もっと良くするの要求に応える
信じて……
BOOK
良い本ができると
イワシのかば焼き弁当
ウマ〜
貼らないカイロ
こっちの方がスキ
野菜が届いたよ
筆ペンにハマった
弥栄
コーヒーロースターの鎌倉
チーズケーキが大好物
TASK
編
TASK
TASK
集
会
議
TASK
スライドづくり
はかどる
仮眠
遊園地を眺める
POWER!!
グッ
ピンと伸びる
家の花
今日のランチ
肉絲
青椒
大好物である!!
自分
お客
バリューを考える
渡り鳥がいっぱい
イタリアの味になる
ひたすら原稿修正
コーヒー＋シュークリーム
オンラインで効率化
肉厚なバーガー
このご時世でいろいろなレストランがテイクアウトをスタート

ネガティブな
思い込みを捨てる

スケッチジャーナルを続けるにあたって、大きなハードルとなるのが、「ネガティブあるある」。その対処法を紹介します。

結論から言ってしまいます。絵を描く時にあなたの心にまとわりついている**「ネガティブ要素」を消し去らない限り、創作活動への集中は続かない**と思ってください。

数多くのスケッチの技法書を読んでも、スケッチ教室に通っても、「絵が描けるかもしれないという確信」「絵を描き続けたいという熱意」が生まれない限り、創作活動をやってはやめて、また別の方法を探して、また止まって、の繰り返しです。ペンだこができるくらい夢中になって絵や文字を描かないと、自分のクリエイティブのスタイルはわかりません。誰かの絵や技術と自分を比較して、まだ作品を1つも生み出していないのに自分の可能性を封印している限り、インプットを続けても心は満足しないのではないでしょうか。

ひとり時間やひとり創作を楽しんでいる私ですら、たまにそのようなモヤモヤが沸き起こってきて、慌てて軌道修正することがあります。人間なので集団や社会での自分、という比較や立場の確認は仕方がないことです。とはいえニュートラルな状態からネガティブに心が動いたら、スケッチジャーナルを使って戻すことができます。

必要なのはあなたから生まれるアウトプットを続けること。極論すると、まずは評価モードになってノートに今の「望まない状態」を徹底的に書き出して、「望む状態」も書いて、「じゃあ次は何をやれば良いのか」を明らかにしてから創作に取り組むのがベストです。

私も含めて読者の皆さんは美大に行ったわけでもアートの専門

学校に行ったわけでもないため、絵の技術に関する総合力を今から習得するのは難しいでしょう。もちろんスケッチジャーナルをきっかけにしてイラストレーターになるために専門学校に入学する、旅の取材が楽しくてイラストルポライターを目指す、という人もいます。でもほとんどの人は、毎日の暮らしでなるべく気分の良い時間を増やすために、スケッチをしたいのではないでしょうか。

シンプルな道具で実践可能なスケッチジャーナルを使って、ぜひ作品づくりをきっかけとした自分の周囲への観察と気づき、制作に没頭する気持ち良さ、完成品を眺めることでの喜びを味わっていただきたいと思っています。そのために、「絵心がない」「絵が描けない」「やっぱりだめだ」といったネガティブ要素を抑えて、はじめの一歩を踏み出しましょう。

誰にも見せなくていいので、どんどん実践する。線が曲がっても円がうまく描けなくても、自分の字がきれいに書けなくても、まずはどんどん失敗して味を深めていく。そうすることで次に何をやればいいのかが見えてきます。それは失敗ではなく「創作実験で獲得したヒント」ですので、どんどん失敗を繰り返すことはむしろラッキーなのです。次のページからは、スケッチジャーナルの「ネガティブあるある」の原因とポジティブなゴール、そして対処法を解説していきます。

ネガティブあるある

自分のスタイルがわからない

YOUR OWN STYLE

現状

Current situation

絵を描いてみたいという思いはあるので、イラスト技法書を書店で買ったり気になるイラストレーターをフォローしたり、スケッチ関連動画を見ているけれど、自分がやりたい創作活動のイメージがつかめていない。まだ創作への強い意志がなく、自分のやりたいことの絞り込みやアイデアの書き出し、スケッチの練習にたどり着いていない。そんな時はまだ創作への集中力が足りていないかもしれません。その原因はなんでしょう？

YOUR OWN STYLE

原因

The cause is

「すぐに絵がうまくなる方法はないか」ということでSNSや動画サイトでのテクニック収集に偏りすぎていませんか？　平日の自由時間や休日はだらだらと過ごしがちになっている場合、創作に取り組む時間を確保できないと思います。暇な時や移動時間をスマートフォンでSNSを見たり、ニュースを見たり、ゲームや映画を楽しむ行為に充てていると、創作の基礎となるスケッチなどの実践に取り組めていないか、スケッチ自体の練習が不足している可能性があります。

YOUR OWN STYLE

あるべき姿

Ideal

自分の創作活動を円滑に行うためには、その仕組みがあることが大切です。自分に合った創作スタイル、自分に合った道具、自分の創作に適した時間を定めて、絵を描く習慣をつけることも必要です。スケッチする時間をあらかじめカレンダーに予約しておくことも有効です。自分のやりたいことがはっきりとわかっていて、有効な時間配分をして過ごしている。集中しながら創作活動が楽に続くような状態を保てると良いですね。

YOUR OWN STYLE

やること

Things to do

あふれる情報の中での「自分さがし」をやめて、創作活動に没頭している時に感じる「自分なくし」を楽しみましょう。創作の計画を立てることでできるようになります。どうやってスケッチジャーナルを始めるか、いつ創作をするのかなどを決めていきます。

ネガティブあるある

誰かと比較してしまう

YOUR OWN STYLE

現状

Current situation

憧れのイラストレーターと同じように絵を描きたいけれどうまくいかない…SNSでフォローしている同好の人たちの作品を毎日見て、憧れながらも自分はどうして描けないのだろうかと気分が滅入ってしまう……絵がうまい、絵の技術を持っている家族が身近にいて、それと比較した時の自分の技術やセンスのなさに失望している、という状態です。

でかい仕事がキター！
他人の活躍に焦りだす

YOUR OWN STYLE

原因

The cause is

目標設定が間違っていることが原因です。自分が好きなイラストレーターの絵に近づくのは嬉しいことですが、そのままだと自分流が形になりません。また同好の人たちの活躍に対してモヤモヤするということは、嫉妬心が生まれている可能性があります。それぞれが実践を繰り返してで出来上がったものなので、自分へのメッセージはなにもありません。その人の生活スタイルや創作時間が違うので、本来は嫉妬する意味がありません。

YOUR OWN STYLE

あるべき姿

Ideal

誰かと自分の技量や作風を比較することなく、余計な考えに邪魔されずに創作に集中している。
自分のアイデアに従って絵の素材を集めて、あらかじめ決めておいた時間に作品づくりを行っている。比較する場合は、気になる作品を模写したり観察するなどして、そのスタイルの傾向を調べてみる。参考になるヒントがあれば、どんどん吸収していく。このように比較を有効活用していけば、自分の作品づくりの軸がブレることがなく加速します。

YOUR OWN STYLE

やること

Things to do

誰かの作品やスキルと自分の状態を比較して苦しむのはもうやめましょう。作品を参考にする場合は、研究対象としてなら比較しても大丈夫です。その人のSNS投稿が気になってしまう場合は、それを見ないようにしましょう。

ネガティブあるある

「始めたのだから続けなきゃ」と頑張りすぎる

YOUR OWN STYLE

現状

Current situation

スケッチジャーナルの本を読んで、創作のチャレンジを始めたものの、毎日ページを埋めるためのアイデアに行き詰まる……仕事や家庭の用事が忙しかったり旅行をしたりしたため、数日間にわたって絵が描けなかった……毎日スケッチジャーナル活動を続けられない自分を責めて、やっぱり自分はダメだと否定に走ってしまっている、という状態です。

YOUR OWN STYLE

原因

The cause is

せっかく始めた新しい趣味に対して、今度こそ毎日やろう、今後こそ続けようという意気込みが強すぎるあまりに義務感が発生してしまっています。この問題に直面しがちなのは、完璧主義者の気質があって根が真面目な性格の人かもしれません。道具も揃えたので使わないともったいない、この機会を活かせない自分はだめな人間だから、なんとしても続けようとすると疲れてしまい、創作活動が苦痛になってしまいます。

YOUR OWN STYLE

あるべき姿

Ideal

創作活動を毎日行わなくても、描きたい時にすぐに描けるような準備はしてあるので、焦ることがない。仕事や家庭生活、娯楽、社会とのつながりを維持しながら、できる範囲で創作活動を行うための仕組みを運用しているので、絵を描きたいという気分が高まってきた時、今日は絵を描こうとひらめいた時にノートを開けば良い。描かなければならないという義務感ではなく、描きたいという情熱をエネルギーにして創作活動を続けている。このように考えられれば、きっと続けられるはずです。

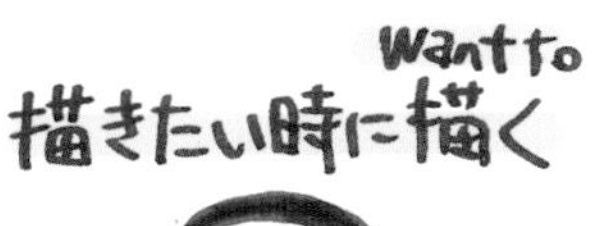

YOUR OWN STYLE

やること

Things to do

創作を毎日続ける、期限内に全ページを埋めるといった創作への義務感を持つのをやめましょう。忙しい場合は創作する予定を先に確保して、その時に集中して行うように準備だけしておいて、気分を少し楽にします。

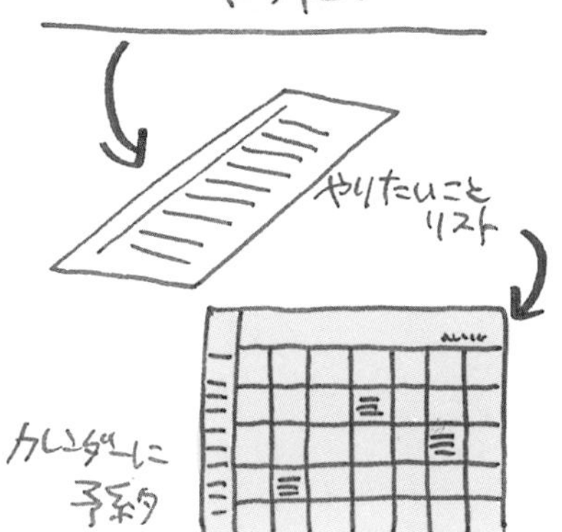

ネガティブあるある

「残念な出来事」をそのまま作品にしてしまう

YOUR OWN STYLE

現状

Current situation

自分がその日に直面した出来事のうち、第一印象としてあまり嬉しくなかったようなネガティブな体験を、まだ心の整理をしていない状態のまま、あったことをあるがままにスケッチジャーナルに描いてしまう…これにより脳に刻まれてしまう……描き終えた後も嬉しくない………あとで見返した時にも、嫌な思い出として再起動してしまう、という状態です。

ネガティブ記録は避ける

12月4日(水)

いつものおでん屋でYさんを待っていたが忘れられていたらしく1人飲みだった。もうあいつとは会わない方が良いだろう。

12月5日(木)

マネ・ジャーが
TSさんのグチがスゴイ

ランチタイム台無し

YOUR OWN STYLE

原因

The cause is

出来事それ自体には特段の意味がないのに、自分で何もかも悪く捉えてしまうというネガティブな意識が働いてしまっています。最初は嫌な出来事だと思ったけれども、後で冷静に考えると誰かの行動は自分のためになっていたり、むしろピンチかと思ったらチャンスが生まれたかもしれない、というのはよくあることです。スケッチジャーナルにする前に「ちょっと待てよ?」というニュートラルな解釈作業をしていないのが原因です。

YOUR OWN STYLE

あるべき姿

Ideal

体験した出来事をネガティブな状態のままで描写しないようにしている。すべての体験は、その時はいったん受け止めてから、あとで良い解釈あるいはニュートラルな解釈ができないか考える——例えば病気で数日間寝ていた場合は、寝ている様子を面白おかしくスケッチとして表現できます。狙っていたお店が臨時休業だったり満席で入れず、ランチ難民になったけど、彷徨っているうちに知らなかったお店を見つけた時はその喜びを描けば良いのです。

ちょっと待てよ…思考
よく考えると、これは、チャンスなのではないだろうか

YOUR OWN STYLE

やること

Things to do

笑い話やシニカルな体験談として受け入れる場合はスケッチジャーナルに描いてもOKです。どうやっても悪い解釈しかできない場合は、スケッチジャーナルに描くべきではありません。もう考えるのをやめましょう。

ミスだけど結果はOK
12月6日(金)
えっ会うのは二回目ですよ
アハハ
はじめまして!!
VPが出社 たまたま会社で会ったので話をしようと思って初対面だと話題をふったらそうじゃなくて焦ったけど覚えていてくれてうれしかったし意外にこちらのことを認めてくれていてよかった。

ネガティブあるある

「創作中のミス」を気にしてしまう

YOUR OWN STYLE

現状

Current situation

最初の描き出しの失敗が怖くて、紙に描き出すことがなかなかできない…描いている途中に線が曲がってしまったり、文字がうまく書けなかったりして、続けるのが嫌になってしまう……失敗したページがある手帳は、もう2度と使いたくないと思う……効率良く進めることができないでいらついているうちに、また失敗を繰り返す、という状態です。

描くのがこわい状態

YOUR OWN STYLE

原因

The cause is

そもそも個人的な創作活動はすべて練習であり、トレーニングであり、新しい自分を見つける実験みたいなもの。その作業の中に失敗というものはありません。それを知らないというのが、まず一点。そして、自分らしい作品をつくるには何度も創作を繰り返して道具を手に慣らしたり、好きなモチーフに気づいたりすることが大切だと気づいていないのも原因です。完璧主義に陥って臆病な状態になると、手が動かなくなってしまうもの。この思考を続けると苦しくなるので、創作から離れてしまうのです。

YOUR OWN STYLE

あるべき姿

Ideal

自分の絵を描くたびに失敗を恐れたり、結果を見て失望したりしない。繰り返し作業することで発見があり、改善点が見つかる経験が生まれることを知っている―失敗による味わいが強みになるとわかっていれば、課題や弱点、ミスがどうやって起きるのかを実践によって見つけて改善するだけです。失敗の原因は道具が自分に合っていないかもしれないし、創作の場所や創作に取り組む時間が適切ではないかもしれません。原因を深掘りしてみましょう。

YOUR OWN STYLE

やること

Things to do

自分自身を実践を繰り返す姿勢に変えていきましょう。とにかくスケッチや文字をどんどん描いてみる。スケッチを描いてみて気づいたことをゼロノートに記録して、その原因を探って改善できないかを考える。失敗をカバーする方法を学ぶのも大切です。

別の紙でカバーする
貼ってしまえばOKです

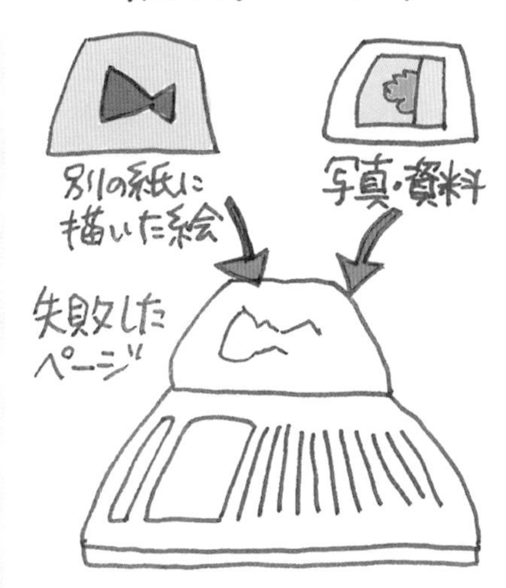

ネガティブあるある

道具を使うのがもったいない

YOUR OWN STYLE

現状

Current situation

スケッチジャーナル作品に使うことができる文具や画材、その他の材料をたくさん持っているのに、もったいない気持ちが先に立ってしまい、なかなか使うことができない…できるだけお金をかけないで安い道具を使っていきたいと思っている……まだ道具の大切さに気づいていない状態にあり、創作に燃えるための道具に出合えていない、という状態です。

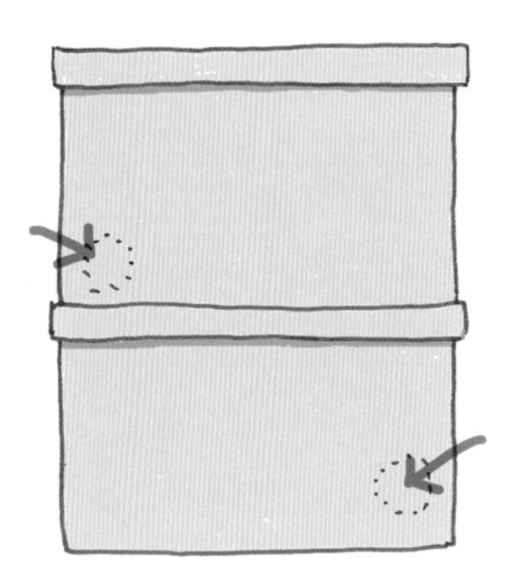

道具は箱の中....

YOUR OWN STYLE

原因

The cause is

あなたはもしかするとスケッチジャーナルの創作活動に使う道具にかける費用を、なるべく抑えようと考えているのかもしれません。家に色鉛筆やノート、文具や画材がいろいろあるけれど、それは高級なので「いつか使う」予定にして、部屋の奥にしまってはいませんか? 高い道具を使うとしたら絶対に失敗したくないし、もったいなくて使えない、という考えも強いのかもしれません。自分はまだ高い道具や良い道具を使うには早いと思っていたり、気になるメーカーの商品があっても手を出せていないのが原因でしょう。

えーっと
道具はなるべく安いもので済ませたいです

YOUR OWN STYLE

あるべき姿

Ideal

道具は創作に使って初めて意味があるとわかっている。持っている道具の使用を惜しんだりケチケチせずに使い続けることで愛着が増し、使い終えたらまた新しいものを買いに行く―創作の材料を手に入れる楽しみを知っていれば、気になる道具を見つけたら乗り換えたくなるものです。もちろんOKですが、ポイントは安いから使うのではなく、自分が気に入ったから使うということ。気に入ったのなら高級ノートでも高級色鉛筆でも惜しまず、そうすることで表情豊かな作品が生まれるのが理想です。

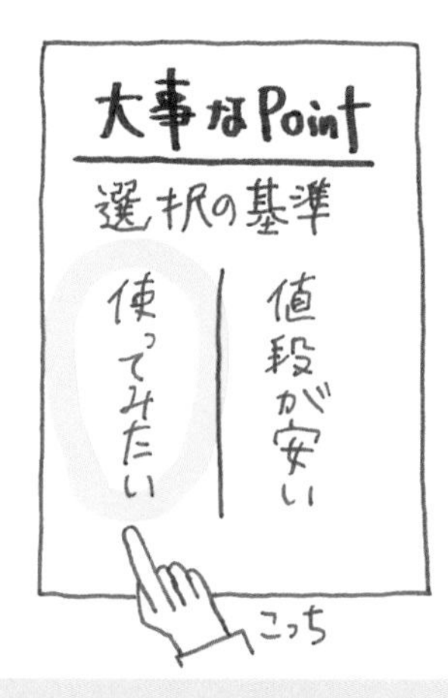

大事なPoint
選択の基準
使ってみたい
値段が安い
こっち

YOUR OWN STYLE

やること

Things to do

定期的に画材店や文具店に通い、筆記具や着彩に使う色鉛筆・マーカーなどをチェックしましょう。使いたい道具を買い、欲しい道具を買い、買った道具をどんどん使ってみてください。道具に触れる機会を増やすことで、創作意欲を刺激するサイクルを作るのです。

「絵心がない」を封印する

絵を描くというテーマを話していると出てくる「私は絵心がありません。それでも描けますか」という「ネガティブあるある」についても考えておきたいと思います。すでに絵を描きたい気持ちでいっぱいの人や、すでにスケッチジャーナルを始めたよという挑戦者はこのページを飛ばしていただいて結構です。

絵心とはいったい何なのか、私にもわかっていません。私は小学校と中学校でのカリキュラム以外では、美大や専門学校などで習う絵の教育を受けたことがありません。社会人の若手の頃にある日突然描き始めて、20年以上にわたり絵を続けています。

絵心というものを自分で考えたことがないので想像してみると、「絵心がない」というのは「誰もが上手と認める絵を描く技術がありません。練習をしたことがありません」という解釈になるのかなと思います。この点について私は英語において、「絵心がない」とほとんど同じように「英語をしゃべることができません。」という言葉を発することがあります。ネイティブのようなペラペラな英語をしゃべることができないという意味です。それでも翻訳技術が発達した現代ではかなり楽になっていて、英文を作らなければならない時や英語での自己紹介が必要な機会、長い英文を読まなければならない状態にあってもなんとかなります。

絵の場合はAIによるアートが急速に発達していますし、タブレットとペンとソフトがあれば簡単に描けるようになっています。それでも「絵心がない」という気持ちが消えない場合は、大きな心の転換をしなければならないでしょう。**「描ける」と「描けない」には右図のような7段階のグラデーションがある**のではないでしょうか。もっとあるのかもしれませんが、ここでは「描くのが楽しいのでいつも描いている」という人から「自分は描いちゃダメだと思っている」人までがいると設定します。

中間地点の「描けるのを知らない」人は、この本を手に取ってから数分後には、絵を描き始めています。「あれ、意外と描けた」「そ

「描ける」と「描けない」の境界線は？

▲描ける
描けない▼
描くのが楽しいので
いつも描いている
描けるのを知っているので
ときどき描く
描けると思っているが
描いていない
描けるのを知らない、
忘れている
描くと必ず失敗すると
思っている
自分は描けないと
思っている
自分は描いちゃダメだと
思っている

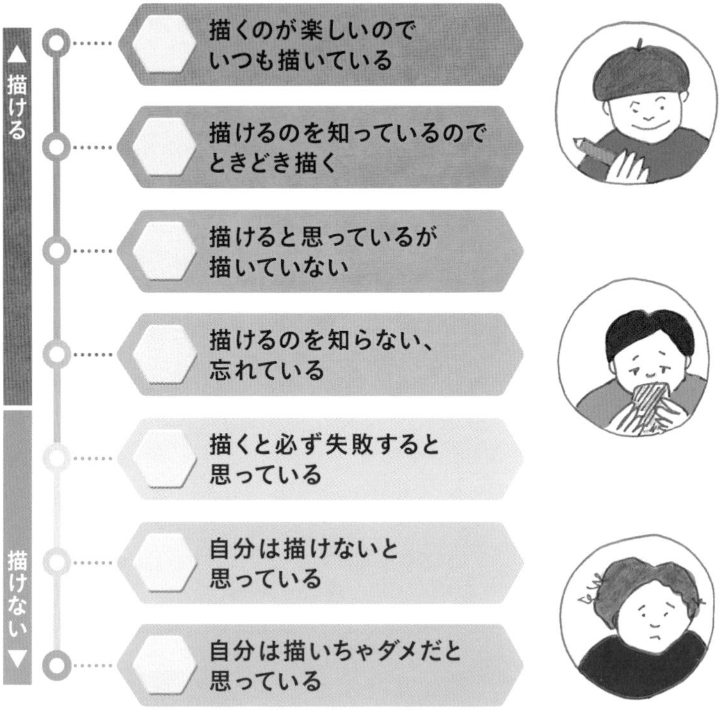

ういえば子どもの頃夢中になっていた」という自分を思い出すでしょう。

「描けない」の3つのタイプは誤った認識を持っているか、絵に関する何らかのトラウマを抱えている可能性があります。また「絵心がない」にはおそらく方向性が定まっていない、スタイルを決めることができないという戸惑いも含まれていると思います。

絵には実物あるいは写真を見ながら描写する「スケッチ・デッサン」と、自分あるいは依頼者の要望に合わせて創造する「イラストレーション・アート」の2種類があります。もちろんこの2種類の中間作品もあるでしょう。「イラストレーション」や「アート」を作るのはすぐには難しそうです。特殊な訓練と完成されたテクニックが必要な気がします。

「デッサン」も美大の生徒さんが鉛筆でするイメージ。残る「スケッチ」はアートだけでなくビジネスや建築、デザインでも使われているので最も身近ですね。「絵心がない」と思っている方は、この「スケッチ」から始めると良いでしょう。

　スケッチジャーナルでは、まずカレンダーの小さい枠の中に描いて1カ月分を埋める形式から始めることを推奨しています。3センチメートル四方の枠内であれば、難しく考えることなく何か描くことができるはず。それを30マス程度に埋めていく楽しさがあります。しかもこの練習は誰にも見せる必要がありませんし、それ自体は習作（練習のために作ること）です。心おきなく実験ができます。ぜひこのやり方で誤認とトラウマから脱却していただきたいです。

手軽に始められる「スケッチ」で「絵心がない」を克服しましょう。

ハヤテノコウジがネガティブとの決着をつけるまで

実は、私もネガティブな思い込みにとらわれた過去があります。その経験談と、人生の達人とも言うべき友人の話をさせてください。

大切なのは「自分らしい画風」に挑戦する期間

絵を上手に描くのはプロフェッショナルの仕事です。依頼を受けて絵を制作していきます。超絶技巧を駆使して驚きの完成品を作る人や、要望にとことん合うように描いていく人などさまざま。長い修行の過程を経て技術の修練を重ね、他社やライバルとの競争を勝ち抜いてきた人たちが活躍しています。正直に言って多くの人が大人になってからこの達人たちの世界に入るのは難しいでしょう。

一方でちょっと気持ちが緩んでしまう絵を描くイラストレーターや見た人を癒す味のある絵を描く画家もいます。もちろん、このような作家の人たちも競争や努力はしてきたとは思いますが、戦略としてそのスタイルを選択している場合もあれば、あくまでも自分流を貫いていたり、創作の対象が好きすぎて夢中になっていたりするケースも考えられます。私は最初からライバルがいたわけでもうまい絵を目指したわけでもないので、この後者の人たちに分類されます。絵を描き始めてから最初の10年は、誰かに教えてもらうわけでもなく、ただ1人で教材を見ながら試していました。つまり誰とも比べていない時期です。

2010年頃はちょうどSNS草創期だったので2023年ほどには普及しておらず、ブログで静かに作品を展示する程度でした。**誰かとの比較が一切なかったので、雑念にとらわれずに1人で静かに絵を描くことができました。**その後にSNSの利用者が急増し、私もそこで作品を公開します。モレスキンの人気が高まっていて、さまざ

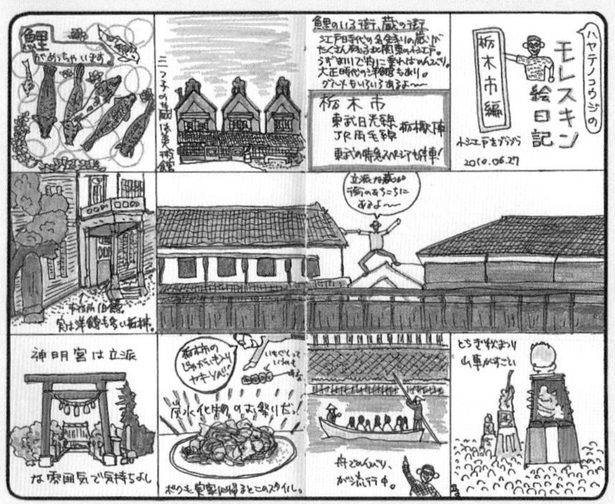

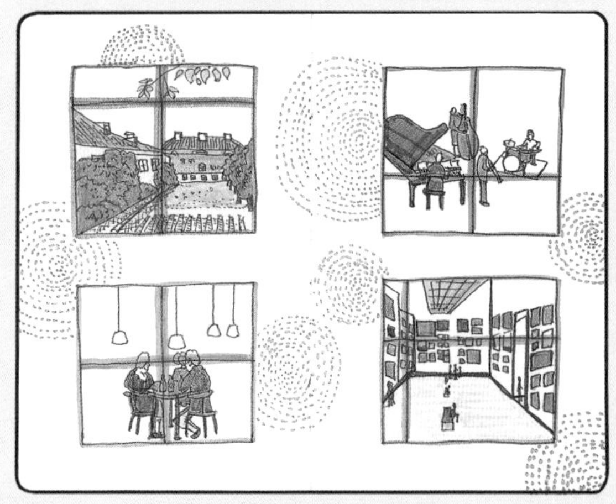

雑念にとらわれず、１人静かに描いていた頃の作品。

まなメディアで取り上げられる中で私もモレスキンにアートを描くユーザーとして知られるようになりました。

するとそれまでの10年とは異なり、紹介される機会やコミュニティーへの参加によって**「誰かと比較される、比較してしまう」**という事態が発生します。最初の頃はその変化は大したことがない、と自分をごまかしていました。

ところが心境に変化が起き、**他の類似アーティストの作品や行動をSNSで見かけるたびに、軽いジェラシーや戸惑いが生まれ始めたのです**。これは自分でも驚きでした。

この時期に、私は1カ月間にわたる作品展示を行います。画家の人たちやアーティストが行う、いわゆる個展というものです。初体験なので手探り感と手作り感がすごかったのですが、会場が人気の文具店だったのでたくさんの来場者に恵まれました。お客さんたちが壁に展示された私の絵や、モレスキンに描いたスケッチジャーナルの実物を見てくれる。作品に関する質問や疑問に答える。自分の人生にはなかった、アーティストとして初めて体験する、大変有意義で興奮する1カ月でした。

この展示に来てくれた2人のお客さんを紹介します。1人目はITや海外事情に明るく、自分でも複数のソーシャルメディアを駆使する著名人。一眼レフを持って展示会場に現れて、私の作品たちを褒めてくれました。そしてこの方の助言が、その後の私のスタイルに大きな影響を与えるヒントをくれました。

「あなたの絵は見る人をポジティブにさせるギフトです。
ぜひ、このまま、複製不可能な存在になってください」

2人目はクリエイター出身のカウンセラーで、**「あなたの絵はこのままがいい。決して上手にならないでね」**と感想を述べられました。10年以上も前のことなので、記憶が少し実際とは違っているかもしれないです。でもだいたいこのような内容でした。そしてこの2人からもらったメッセージに私は衝撃を受けて、「複製不可能な存在、どういうことだろう……」「絵を上手にならない方がいいってどういうこと？」などと考えてしまいました。

結局は個性を磨けばいいという結論にいたり、その後の10年間はこの2人からの助言を守り、自分らしい表現方法を追求してきました。その後の自分のアート活動の結果を見ても、この決断と実行は正解でした。とにかくDIYな気持ちで突き進んできました。**もし誰かとの「比較される競争」の中に参加し、技術向上を優先させていた場合、実践経験がもっと少ない10年間になっていたかもしれません。**個性は管理不可能な、作者の体と作品からにじみ出るものなので、自分らしい画風を追求してよかったと思います。

いろいろなアイデアを試す創作時間を楽しむ

誰にも見せない秘密のノート。そこには最近手に入れた新作ボールペンで描いた有名人の似顔絵スケッチがあり、居酒屋で飲

幸せの独占を孤独に楽しめるのも、スケッチジャーナルの魅力のひとつ。

みながら描いた秋刀魚の絵がある。散歩中の公園でスケッチした噴水やドッグランを走る犬の姿、隅田川と東京スカイツリーの風景も描かれている。絵と文字だけでなくショップカードや別の紙に描いたスケッチ、有名レストランの紙ナプキン、コンビニで印刷した京都旅行の写真まで貼ってある。

何でもありの自分のノートは、個人的で孤独に楽しむ自分の本です。この場合の孤独は人気テレビ番組『孤独のグルメ』の孤独をイメージしていただきたいです。あの主人公が行く先々でのグルメを楽しむように、**私たちはスケッチジャーナルで自分のリアルタイムな体験とそのあとの記憶を味わえば良い**のです。

誰かに見せたりお互いのスケッチジャーナル作品を交換したりする機会はいつか来るとは思いますが、最初は1人で楽しみましょう。ずっと孤独に楽しむ趣味でも良いです。誰も見ていないので、のびのびと描くことができます。創作の実験なので失敗はむしろ宝物。失敗の繰り返しで表現に味が出てきます。

そう思って続けるうちに、ページがどんどん埋まって1冊、2冊とスケッチジャーナルが増えていきます。ボールペンのインクや色鉛筆の芯が減り、もしかすると利き腕の中指にペンだこができるかもしれません。描き続けて見返して、自分の暮らしの中にある特徴や自分自身の好みが見えてくる。そして1人ですから、たまたま自分的に満足のいく作品ができた時にはニヤリと笑ってもいいのです。自己満足の世界です。

10冊20冊と溜まってくると、過去から現在までの作風の変化や自分らしい絵としてのレベルアップが感じられます。もちろん前のものが悪いとか今が良いとかではなく、すべて味があるのです。愛おしく思います。このような喜びは、誰かと見せ合ったりSNSで公開したりすると弱まってしまう気がします。幸せの独占というのでしょうか。『孤独のグルメ』が伝えたいお一人様の贅沢というのでしょうか。このような1人娯楽を楽しむスケッチジャーナル実践者を私は何人も知っています。

人生の達人の持ち物はノートとペンと行動力

私のスケッチジャーナル活動の初期からの友人Gさんのケースを紹介します。スケッチの本を何冊か読んでいるうちに、「できそうだ」という確信が生まれたのだそうです。その段階でスケッチジャーナルに出合い、ノートと筆記具といった文具を使うフォーマットと自分の好きなテーマを掛け合わせたところ、どんどん創作意欲が湧き上がってきたとか。

「描く・書く・貼る・押す・足す・切る」といった手法を取り入れると、自分らしい作品が生まれます。Gさんはそこから自分の好きな飲み歩きやお酒、旅行、写真と組み合わせ、1人でどんどん実験を続けていきました。うまいヘタは全く気にせず、どんどん自己流のスケッチを極めていく。**ノートとペンと行動力だけでプライベートを充実させていく**友人を見ていると、人生の達人は今を生きているな、瞬間を楽しんでいるなと思わざるをえません。

お酒が好きなので各地の酒蔵巡りの旅に出たかと思えば、野球観戦をしながらビールを楽しむ。お気に入りの居酒屋さん巡りを欠かすことがなく、お酒のフェスやイベントがあれば飲み比べを楽しむ。カメラやアート、音楽も好きで著名ロックスターが来日すれば年の離れた同好の人とコンサートに行き、自分の青春時代を象徴する往年のミュージシャンのライブを楽しむ ―― **行動で得たネタをお酒を飲みながらスケッチジャーナルの中にアウトプット。もはや絵を描くこと自体も酒のおつまみなのかもしれません。**

誰かとの見せ合いやSNSへのシェアは、ひとしきり孤独に楽しみ尽くした後に行っているようです。同じような創作を続ける友人たちは、以前に比べてSNSへの投稿は少なくなったものの、作品づくりは継続中。むしろ1人遊びが楽しすぎる様子です。

Gさんをはじめとする友人たちのように、みなさんもスケッチジャーナルを通じてネガティブとの決着がつけられるよう願っています。

友人Gさんの関心の広がり

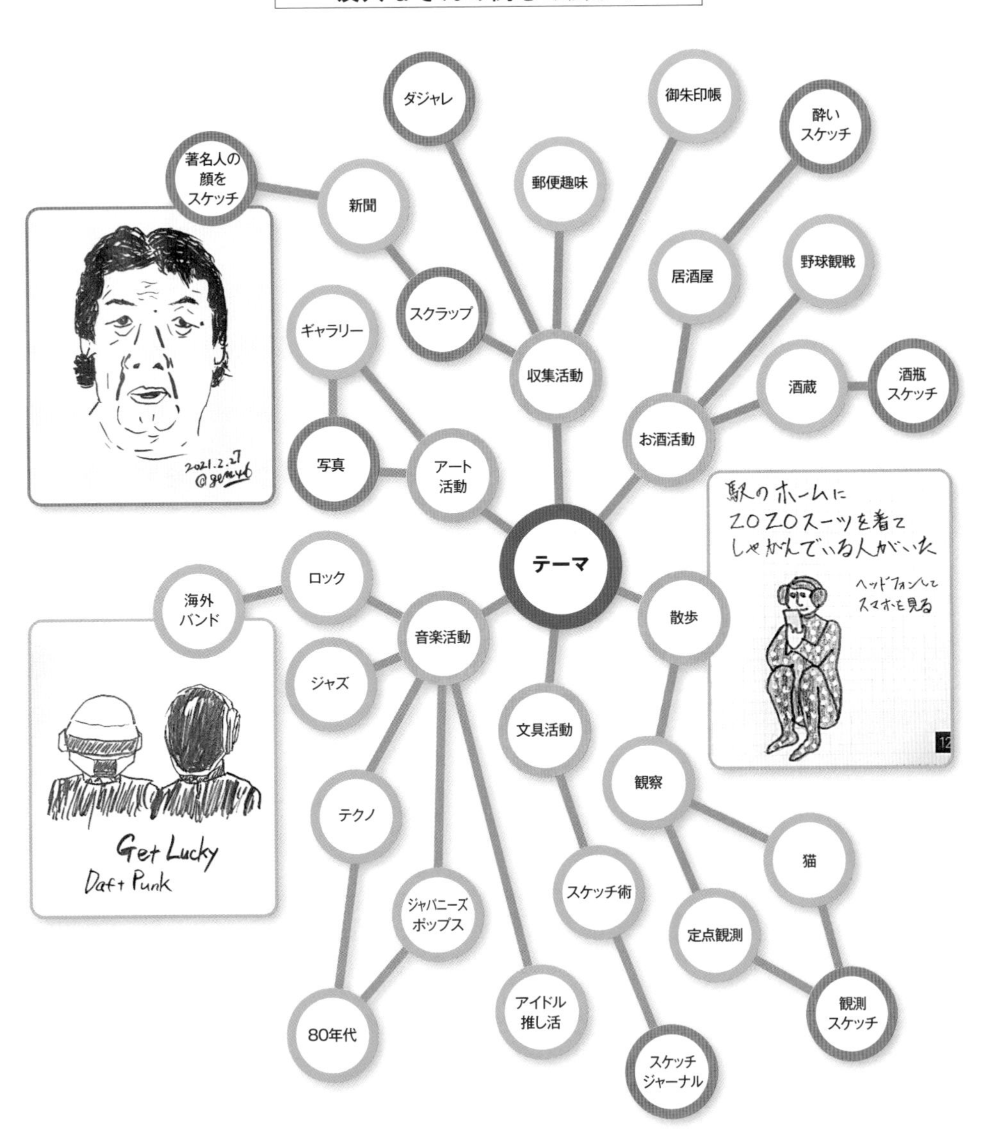

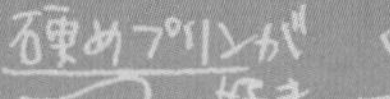

Chapter

03

Sketch Journal BEGINNERS

至福の時

未来への準備をする

スケッチジャーナルを続けるコツは、
探索モードと評価モードを上手に使って
「至福の時」の準備をすること。
その秘訣を深掘りします。

GOOD
NICE
チャット作戦
TO DO
TASK
会
議
TASK
チョコレート
修正
久しぶりにチャーハン弁当をゲットできた!!
部屋の桜に癒されて
原稿修正の日々です
えっと
家のある街は江戸時代に栄えて蔵が多く、スターバックスもそれに合わせてつくりになっていてカッコイイです。
がんばるよ
スウィーツ食べて
脱力。
ちょっとだけしてみる
三大好物
コロッケ
ちょっとだけダラダラした
ホッ
YUM
青椒肉絲
YUM
スマートフォンでも原稿を修正します
灯してみたい
実家のある街の灯籠
美
キレイだ
夜桜
大好物でございます
桜は良い
ありがたや〜
タルトのお店でティラミスなタルトもいただく
スウィーツは正義
ネコも目撃
本づくりの学び①
使ったアイテム、制作年、キャプションは記録しておく
本づくりの学び②
創作意欲と集中力を信じてリラックスする
本づくりの学び③
もっと良くする、もっと良くするの要求に応える
信じて……
BOOK
良い本ができると
貼らないカイロ
こっちの方がスキ
野菜が届いたよ
女性スケッチ
筆ペンにハマった
弥栄
いやさか
初めて知って本気で気になる
1ヶ月分のMJまとめ
コーヒーロースターの
チーズケーキが大好物
TASK
編
集
会
議
TASK
スライドづくりはかどる
仮眠
汁なし担々麺
遊園地を眺める
POWER!!
家の花
今日のランチ
青椒肉絲
大好物である!!
ピンッ
自分
お客
バリューを考える
ペンションメッツァ
WOWOW
渡り鳥がいっぱい
コーヒー+シュークリーム
ひたすら原稿修正
オンラインで効率化
肉厚なバーガー
このご時世でいろいろなレストランがテイクアウトもスタート
とてもおもしろい

日曜芸術家のすすめ

常に自分の暮らしの中で楽しみを見つける努力をして、少しでも気分を上げていく「日曜芸術家」を目指しましょう。

週イチの「頑張りすぎない」芸術活動

「日曜芸術家」は「休日あるいは週に1日くらいのタイミングで創作活動を楽しむ人、その創作を楽しむための準備をしながら1週間を過ごす人、頑張りすぎないでのんびりと創作に勤しむ人」くらいの意味で考えてみてください。

芸術家というと、専門的な知識を持ったすごい人、高度な作品を作り出す人、という印象を持ちますね。でも大丈夫です。日

日曜芸術家の1週間

月曜日
ウキウキ
ウキウキ
帰った後には今描いているスケッチの続きをやろう

仕事と遊びの往来
(1時間で気分転換ができる)

楽しい創作をした日曜日の翌日なので、しなかった場合と比べると憂鬱な月曜日にはなりません。まだワクワクが続いていれば、ちょっとした空き時間に創作のためのアイデアスケッチを描いたり今の気持ちをノートに書きつづったりして心をスッキリさせられることでしょう。創作活動で得た考え方が、仕事での発言に影響を与えることだってあるでしょう。

曜芸術家は日曜画家や日曜大工のように、趣味としてスケッチジャーナルを作っていきながら、気楽に無理しない程度に創作思考を続けていくスタイル。日曜芸術家というテーマは、私が20代だったある日に突然スタートさせた創作活動を20年以上続けてきて到達した、会社員を続けながらアートに触れるスタイルの個人的な結論です。

なぜ「週末芸術家」ではなく「日曜芸術家」なのでしょうか。2日ではなく1日なのでしょうか。それは創作活動以外にも、休日には人それぞれにやることがたくさんあるからです。

家族や友人との交流、キャリアアップのための勉強、のんびりと1人で過ごす日、などなど数え上げたらキリがありません。さらに情報過多の時代に、つい夢中になって時間を過ごしてしまうコンテンツのなんと多いことか。我が家でも「ええっ、もうこんな時間」という言葉がよく出てきます。絵を描きたい、スケッチをしたい、絵日記を描きたい。**あなたの時間は限られているという事実を知る必要があります。**

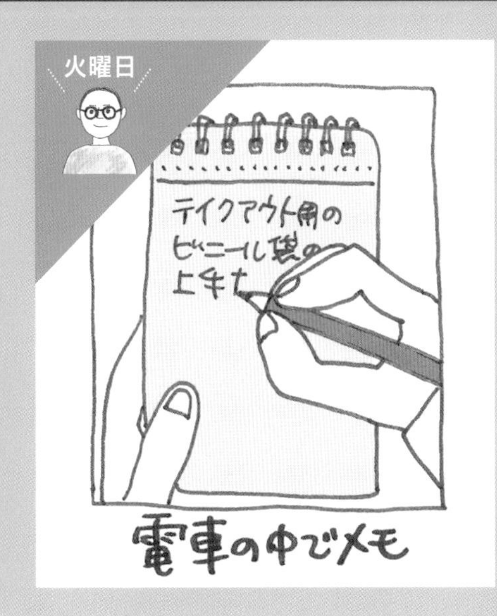

移動中のネタ探し
(気になる出来事のコレクション)

朝の通勤時間、昼休みの移動、仕事の移動、夜の帰宅時間などなど、スキマ時間にボーッとしているなんてモッタイナイ！ いろいろな情報が目に飛び込んできているはずです。その中から自分のアンテナに引っかかったもの、何だかぐっとくるもの、興味を持つものがハッキリしてきて、自分の内面が可視化されていくような気分になってきます。意外な自分を発見することもありそうです。

日曜芸術家になって良かった3つのこと

1 好きなモノ・コト・ヒトで人生が彩られる

ここからは、私の実体験をベースにあなたが日曜芸術家になると何が起こるのかを想像していただきましょう。日曜芸術家になると、あなたにも心が躍るような初期衝動がきっと生まれます。それを忘れずに、楽しい経験を味わっていただきたいと思います。

スケッチジャーナルを創作する**日曜芸術家になってから、私は自分の人生のあらゆる出来事や感情、着想が作品の材料になると気づくことになります。自分の好きなことをやればいい、と思えるようになったのです。** 最もわかりやすいのは食べるシーンでの変化です。レストランで注文する時、昔はなんとなく価格を最優先していたような気がします。「量が多くて安いメニューはどれかな」と。コスト・パフォーマンスですね。

けれども今は、年齢も重ねたこともあって、量よりも「食べたい

街で見かけたアートをインプット

創作技術を上げていく方法は、ひたすらペンを走らせるトレーニングだけではありません。自分の憧れのスタイルとテイストを探す作業も実はスキルアップに役立ちます。移動中に見つけたデザイン（お店のロゴ、ポスター、雑誌、看板、ロゴ、店内インテリア、古い家の造形、レストランのメニューなど）やいいなと思う作品はどんどん吸収していきます。これだけでも、楽しくインプットしていることに違いはありません。

×描きたい＝食べ描きたい」で選びます。メニュー表を見てすぐに選びます。見た目が良くて立体的で、品数が多くて色合いが美しいものを直感で決めるのです。そうすることで、「やっぱりあっちにしておけば良かった」という後悔がなくなりました。

一食に魂を込める時はこんな感じで、日常の食生活では栄養のバランスやカロリーを調整して暮らしています。妻や友人たちは私の日曜芸術家としての日常を理解して、オススメのメニューを教えてくれたり、実際に一緒に食べに行った時にいろいろと気を使ってくれたりします。まるで、創作の助手みたいに。ありがたいことです。

散歩中によさそうなお店を見つけた時は、すぐに入ってみるか、次に来た時のために記録しておきます。メニューやお店の外観を写真に撮るのです。

このような食に関連する行動は、スケッチジャーナルとして記録したいからやるのか、食べてみたいから行動するのか、もうわからなくなってしまいました。**値段がちょっと高くても、お店の場所が遠くて**

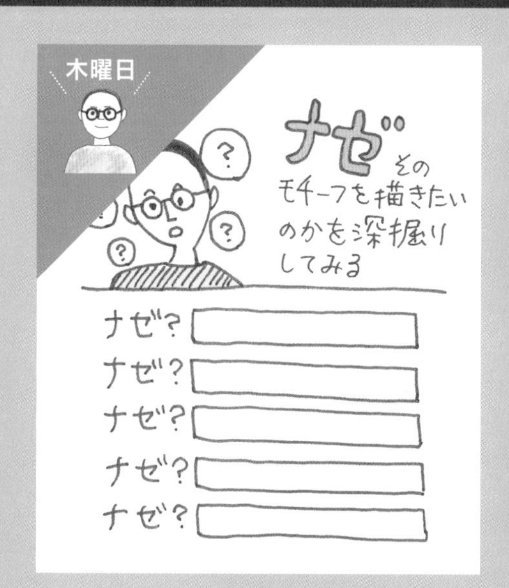

木曜日
ナゼ
そのモチーフを描きたいのかを深掘りしてみる
ナゼ？
ナゼ？
ナゼ？
ナゼ？
ナゼ？

仕事で得たヒントを吸収

効率的な作業を行うためのヒントや、タスク管理のコツ、ゴール設定からスケジュールの計画立案など、仕事と創作活動に役立つスキルは共通点が多いです。また、仕事中は報告や連絡、相談などでの文書作成機会が豊富。これらの仕事で学んだノウハウや経験をアートに活かして創作活動を管理していくことも大切です。仕事にアート思考を組み入れてみる余裕が出てくれば、もう立派な日曜芸術家です。

も、自分で体験してその記憶をノートに収めたいという気持ちが高まったら、描きたい絵のために食べに行く――状況によっては目的のメニューが食べられなくても、行動したのでよしとしています。
　スケッチジャーナルが食べ物でいっぱいになってしまうかもしれませんが、食欲は生きる上でとても重要なので問題ありません。グルメ日記専用のスケッチジャーナルを作ったって良いのです。

　1人で入りにくいお店がある時は、友達に付き合ってもらって行くこともあります。食べてみたいスイーツがあれば、甘いもの好きの女性の友達に同席をお願いします。逆に渋い居酒屋に行ってみたい時は、お酒好きの友達を誘います。京都好き同士で上洛したり鎌倉好きが集まってグルメ散策することもあります。すべては、目的を達成するために――ただし、飲食が重なると体重が増えたり健康診断の数値が悪くなってしまったりということも時々あるので、一定期間は我慢や運動に励みます。**とにかくお気に入りのお店に通って、好きなメニューを注文する。これを飽きるまで続けます。**

誰かとの会話を記録

待ちに待った金曜日の夜は、誰かと会食をする機会が増えますね。ここでもゼロノートを手元に置いて(中身を覗かれないように注意して)、盛り上がる会話の中から気になるヒントや着想、アイデアを見つけていきます。他人との会話をしている時は気づかなかった自分の変化が、ノートのメモから発見できるかもしれません。

1人だと初めてのお店に....

やっぱり入りづらいものですよね。いくつになっても……。

誰かと過ごす刺激（作品で始まるコミュニケーション）

さて休日です。家族や友人たち、恋人と過ごす時間の中で、自分の近況を話すことがあるかもしれません。また初対面の人に自己紹介をするチャンスもありそうです。そこでおしゃべりするのが普通ですが、スケッチジャーナル作品を見てもらうのはいかがでしょう。それを読めば自分の興味関心がすぐ伝わるので、相手の心を強く動かすこともありそう。逆に全く関心を持たれなければ、その人とは長く付き合う必要がないということなのかも。

次は場所の話です。自分の目で確かめて描いてみたい観光地や街、お店を見つけたら、スマートフォンのTO DOリストに行きたい場所として入力。週末に「今日は何をしようかな」と思ったら、この「いつか行くリスト」を見て行き先を考えます。

前述したように、カレンダーに予定を入れてしまうこともあります。私の場合、休日の予定を何も決めていないと部屋でのんびりしがちで、面白い動画をずっと見続けてしまうからです。最初は出かけるのが「面倒くさいな」と思っても、目的地に行ってみると「やっぱり来てよかった」といつも思います。いつか行こうと思っても、すっかり忘れてしまうので、やはり記録は大切です。

気になる場所を実際に散策して、周辺の情報を見たり聞いたりしながら過ごしていると、いい店や素敵な風景に出合うことがあります。インターネットで探すのもいいですが、散歩中に偶然見つけた方が喜びが大きいものです。

スケッチジャーナル以前は、店内の様子が外からはわからない店や、入ったことのない店にはなかなか入れませんでした。今は

日曜芸術家の1週間

1日中の創作時間

日曜芸術家の本番、日曜日です。家族サービスや社会とのお付き合いは土曜日に済ませたので、日曜日は音楽を聴きながら創作に集中していきます。自分のライフスタイルで、創作に没頭しやすい時間帯を探しておく、自分が集中しやすいテーマを選んでおく、などの事前準備があればなお良いですね。自分の創作時間の目安(マンスリージャーナル1カ月分を埋めるなら3時間、デイリージャーナル1日分を描くなら1時間など)を計測しておき、その日の創作可能時間と照らし合わせてとりかかりましょう。これだけで楽しいです。

散策や散歩中の勢いで扉を開けることができます。それでもお店の前を2往復くらいして様子を見ます。**自分の欲望に正直になった今は、食べてみたい、その名物を描きたいという気持ちが不安に勝ります**。それで勇気が出るのです。

前Chapterで紹介した『孤独のグルメ』からも影響を受けています。あの番組の主人公はいつだって食欲に正直で、その気持ちに揺るぎがありません。自分が街中で「腹減った」となった時、彼に行動する勇気をもらえている。そう思います。

目当てのお店に行ってみたものの、大行列で時間的に難しい場合や売り切れによる閉店や臨時休業の場合も、偶然の出合いのチャンスだったりします。仕方がないのでその近くの店に入ってみたら、これが意外に大正解な時があるのです。この喜びが大きいのは読者の皆さんにもわかっていただけるでしょう。

いざ入って**お店の雰囲気や店員さんの対応、メニューやサービスがとても良かったら、「もっとやるリスト」に追加します。もしがっかりすることがあったら、「もうやらないリスト」に追加**してもう行きません。

このリストへの登録は、失敗したことを忘れて同じ過ちを繰り返さないためのセーフティネットです。まだ生活の優先順位の軸が今ほどは固まっていなかった頃、妥協による選択ミスを繰り返しては自分を責めていました。けれども今は気に入った場所に、気が向くままに通い続けます。スタート地点を変えたり回るルートを変えたりして楽しんでいます。

場所との関わりの変化では、別の興味深い発見がありました。帰省することがとても楽しくなったのです。栃木県にある自分の実家と、福岡県にある妻の実家。どちらを訪れても、文化や人の性格などが違って面白く感じるようになりました。

栃木には徳川家康を祀る日光東照宮があり、江戸へ物資を運ぶ中継地点としても栄えました。いまも歴史探訪すると江戸時代の宿場の賑わいを知ることができます。福岡は明太子やラーメン、うどん、そして海鮮などグルメがとても美味。国際都市の一面も持っています。

どちらに行くにしても、**今や帰省はスケッチジャーナル旅行のようなものです。ワクワクする観光です。**それぞれの実家で出てくるご飯や地元グルメも地域性があり、改めて客観的に見られるようになりました。両親の様子や集まった親族の振る舞いもネタの宝庫。スケッチで記録したり、思い立っていろいろと写真を撮り溜めています。

日曜芸術家になる前は、実家にいると部屋でゴロゴロして、ご飯を食べてテレビでも見ながら寛ぐのが定番だったけれど、今はちょっとだけ街に出かけて故郷の変化の観察をしています。

私の実家のある栃木市は市町村合併によって大きくなり、中心部の観光に力を入れて施設やお店が増えています。観光関連の施設や若者たちがやっている専門店、飲食店、コーヒーロースターカフェなどが立ち並び、賑わいを増しています。店員さんとおしゃべりしてみると地元の興味深い話ができて楽しいものです。

このように馴染みの場所をあちこち歩いて、立ち止まって幼少期の記憶にダイブして、過去の思い出を膨らませています。もちろん同じことは住んでいる東京でもやっています。ただ寝るために帰ってくるのではなく、その土地の歴史を知った上で、今を感じて歩くようになりました。

故郷でも東京でも、店員さんとのおしゃべりは興味深い話の宝庫。

次は人の話です。この話をするには、まず私の性格を説明する必要があるでしょう。

とにかく私は遠慮しがちな性格で、なるべく目立たないようにしていたい、熱い感情を外に出さず常にフラットで穏やかに生きていたい——基本的にそんな状態なので、表面上は好きな人にどんどん近寄って行くことや強い意志を表現することができない性格です。

みんなが盛り上がっていると逆に冷めてしまったり、そこから出て1人になったりするタイプです。ちょっと後ろの方に立って眺める程度がちょうど良くて、音楽は昔から大好きでも、ライブやフェスなどには行きません。誰かの推し活動に夢中な人を見ると、いつも感心してしまいます。

そんな私が**スケッチジャーナル活動を始めてからは、「ネタになる」という気持ちを奮い立たせて、人に対しても前に出て行動するようになりました**。憧れの人の活躍を応援しにいく。気になるアーティストの個展を見に行く。その場で話しかけてみる。作品の感想をきちんと伝えて創作方法を質問してみる。そんな行動ができるようになったのです。コミュニケーションがうまく行かず、相手が苦笑いしているような雰囲気でも、めげずに質問を投げかける姿は、本当に勇気を出していると自分で褒めたくなるくらいです。

日曜芸術家になったおかげで、私の個性が作品を通じて伝わりやすくなったようで、みんなも気さくに話しかけてくれます。だから私も、思い切って人の輪の中に飛び込んでいけるようになりました。仲間たちがいろいろな機会に誘ってくれるのは、そのおかげでしょう。気の合う友達と一緒に旅行や食事に行った後、それをスケッチジャーナルに記録してみんなに見せると、とても喜んでもらえます。だから、また会いたくなる。

最後にモノの話です。欲しいもの、好きなものに集中できるようになりました。

スケッチジャーナル活動では、作品を作る文具や画材、その他材料などの道具類が必要になります。ネタを集める散歩用のバッグ類やファッションも必要だし、個性を出すためにメガネにもこだわりたい。ということで、いろいろなタイプのショップを定期的にまわっています。

銀座をスタート地点として銀座 伊東屋、GINZA SIX、銀座ロフト、無印良品 銀座、ハンズ銀座店と回ったら日比谷に移って東京ミッドタウン日比谷へ。緑いっぱいの丸の内仲通りを抜けて丸の内ビルディング、KITTE丸の内、丸の内オアゾから日本橋に向かって日本橋髙島屋S.C.新館でゴール。どの商業施設でも、文具のチェックはマストです。文具店、画材店、セレクトショップに行って商品をチェックするだけでなく、オンラインもフル活用します。SNSでお気に入りのブランドやショップを見つけたら、フォローするのもルーティンです。

みなさんにオススメしたいのは、欲しいものがあれば、「ちょっと高いなぁ」と思っても買ってみるということ。良いものは長く使えると思います。私も好きなアイテムをどんどん消費して、どんどんリフィルを交換しています。気になる新商品は買ってみて、自分のスタイルに合うかどうかを確認してみましょう。いろいろ試して自分の満足のいくものたちが集まってくると、お気に入り道具セットが固まってきます。

私は人気のペンケース「つくしペンケース」の中に最低限のスケッチジャーナル用の筆記具セットを収納しています。これさえ携帯すれば、下書きから修正、ペン入れ、着彩まで可能です。入れ替えも自由です。さらにそのペンケースを入れるためのサコッシュやトートバッグ、ショルダーバッグもお気に入りのものを探しました。ステーショナリーメーカーはさすがにその辺りのニーズをわかっていて、おしゃれで機能的なアイテムを用意してくれています。

ちなみに**軽装のスケッチジャーナル散歩をする時は、登山関連のメーカーが出しているサコッシュやバッグが便利です。私はこれにペン1本とミニノート、スマートフォンを入れて出かけています。**

私は今も、散歩しながらのアイデアメモとスマートフォンでのスナップ撮影、その場でのスケッチをスムーズにするための試行錯誤を重ねています。すべてをiPhoneに記録するという作戦もありますが、筆記セットを手に持って歩く方が、すぐスケッチやメモができるので散歩には欠かせません。将来的には描く速度を上げて、写真を撮るようにスケッチできるようになりたいものです。

日曜芸術家になって良かった3つのこと

2 日常が発見や気づきで満たされる

スケッチジャーナル活動を通じて、散歩するのが今まで以上に習慣化しました。自分の生活がすべてアート作品のネタになり、観察意欲が高まったからです。

自分が生活するエリアをくまなく歩くようになると、知らなかったお店や史跡、気になる路地、公園などに気づきます。いつも遭遇する飼い犬や近くのカフェの飼い猫を見かけると嬉しくなります。

お気に入りの散歩コースは自宅を起点にして東西南北に広がっていて、「今日はこの方角に何キロメートル歩こうかな」と思いながら突き進みます。いつも長蛇の列ができている人気店がたまに空いていると、「ラッキー」と思いながら入ります。あえて地図を見ないでどんどん進み、この道はこの通りに出るのか、こうやってつながるのか、という発見も。こうしてネタをどんどん集めます。

個人的に、東京を歩く醍醐味は江戸時代を感じる瞬間がいろいろな場所にあることだと思います。言うまでもなく皇居は江戸城だったし、広い公園は武家屋敷の跡で、江戸時代からの老舗の食事処がいくつもあり、川にかかる橋にも歴史があります。

特に好きでよく歩くのは、隅田川テラスという川沿いの散策路。歩数や距離、心拍数まで測ることができるスマートウォッチを買ってからというもの、「まだ○△の時間がありますよ」と運動を勧めてくるので、歩く時間がかなり増えました。

このような行動によって、日常の見慣れた景色も少しずつ、そのカタチを変えていきます。一説によると、人間の思考は自分の持っている視点に縛られているそうです。つまり、見ようと思っているもの、こうだろうと思っているものしか見えない。自分が見たものを脳内で解釈して世界を認識するため、人それぞれ見ている世界は同じではないそうです。なるほど違う世界にいるわけだから、視点や考え方に違いがあるのも当然。そう思います。

スケッチジャーナルを作るためには、自分で発見した情報によるオリジナルの視点が不可欠です。物事を自分の軸で分類して、グループ化して解釈を続けると、頭の中にスケッチジャーナル作品として描いてみたいイメージが広がって、ひとつにまとまっていきます。このような**楽しい思考訓練を続けていると、ネガティブな情報が入ってきても深く考える余裕がなく、いつの間にか気にならなくなります。**そもそもスケッチジャーナルに夢中になっていくと自分の気分に悪い影響を与える要素がわかってくるので、そのような情報源に触れない、見ないスタイルが確立しているかもしれません。

スマートフォンなどのデジタルツールでの情報収集は便利です。でもたまには自分で歩いて見つけてください。目の前に現れたその物体や現象、それをあなたは自分で認識しています。けれどもSNSで流れてきた言葉は、他の誰かのフィルターがかかった解釈です。だから私は散歩がやめられません。雨であっても出かけようかなと思ってしまいます。実際にはやることが多くて、雨天の時は絵を描いたり本を読んだりしていますけど。

散歩や旅行は、リアルタイムで気づきを得るので、「そうだったのか!」「えっ! そうなの!」といった驚きとともに、新しい視点を見つける絶好の機会です。メモをして三行日記で解釈して、マンスリージャーナルに配置して、その他のスケッチジャーナルの型にはまった時、あなたも行動した証が記録される楽しさに触れられるはずです。

リアルタイムで気づきが得られる散歩や旅行は、オリジナルの視点を育むうってつけの機会です。

日曜芸術家になって良かった3つのこと

3 生きてきた証を作っているような充実感

スケッチジャーナル活動が世間に少しずつ浸透し、「スケッチジャーナルのやり方を教えてほしい」という要望に応える過程で、私は**自分のことを描く意義**に気づきました。大げさに表現すると、**「生きてきた証が出来上がる」**ということです。

スケッチジャーナルを始める前は、普通に自分が体験した出来事を、最初に認識したまま、良かったこともそうでなかったことも徒然なるままに、赤裸々に書いていました。旅行をしてその行程をそのまま記録して旅日記を書いていたのです。今では信じられないけれど、この時のページには絵はほとんどありませんでした。もちろん、ネタ集めのために散歩をするという概念もありませんでした。ただひたすら行動した結果をできる限り文字にする。それだけで楽しかったのです。そのような表現が必要な時期だったのかもしれません。誰にでもあると思います。

そこから絵日記風の作品を作るようになるにつれて、ビジュアルの中にネガティブな要素があると、文字で書くより辛いので、だんだんと削ぎ落とすようになっていきました。これが良かったようで、**楽しい思い出を繰り返し描くことで、自分のことを肯定できるようになりました。**そして、前著を執筆するにあたって、それを実践することによる効果を調べた結果、過去は自分の解釈で作ることができると知りました。

それでも、今でも、過去は変えられないのに、「あの時こうしておけばよかった」と考えてしまうことがあります。かなり減ってきてはいますが、ネガティブな自分の分身が確実にいて、ときどき耳元でささやく感じです。

とはいえ、**ネガティブな結果を、無理やりポジティブに変えるのはやめておきましょう。**それは本当に難しいと思います。そこで「コーチング」の概念を使ってみましょう。コーチングとは、コーチと呼ばれる専門家が、理想的な未来を設定していく方法を駆使してお客さんの目標達成を支援するものです。コーチング関連の

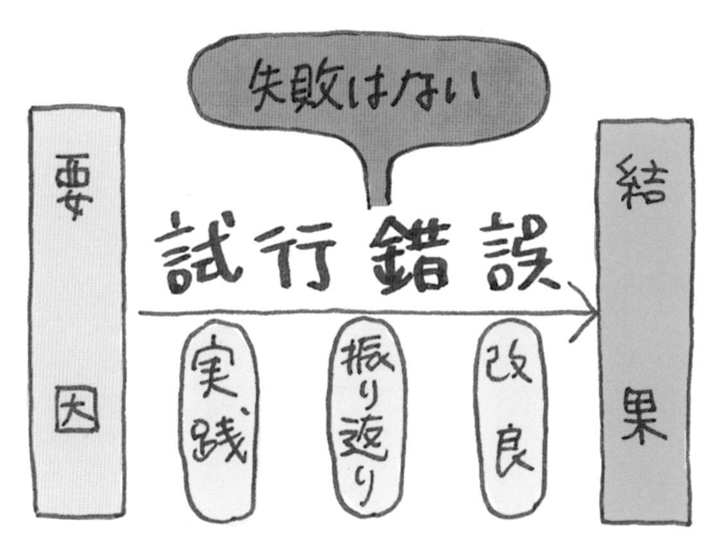

「結果」には必ず「要因」があります。やってみて、振り返って改良し、またやってみる。その試行錯誤こそが尊い。そう思います。

書物などをたくさん読んでいると、ネガティブ情報のさまざまな解消方法に触れられます。

一例を挙げましょう。コーチングの元祖が発見したという「アファメーション」というセルフコーチングの概念です。アファメーションでは「その時の状況に感謝する」のが有効だと説いています。まずは、**評価モードで現状やあるものに感謝する——シンプルですがなかなか実行するのは難しいものです。けれども、ネガティブな結果の中から、感謝できるものを見つけるのは比較的に簡単でしょう。見つけられたら、素直に感謝すれば良い**のです。そのあとに自分の解釈をして、どうしても良くないものは忘れましょう。それよりも、「どんな未来を作りたいか」に集中します。

いろいろと試行錯誤しながら続けていると、スケッチジャーナルを見た人が興味を持ち始めてくれます。生きてきた証を認められるようなものですから、これ以上に嬉しいことはありません。

私の場合、まずブログ記事に興味を持ってくれた人と知り合いになり、自分の生活圏内の外に知人ができるという面白さを知りました。コメントで交流してオフ会を開くようになり、その人たちに会うために旅行をし、やがてSNSに自分のスケッチジャーナル作品を公開するようになりました。**自分の生活を描くのを目的に始まったスケッチジャーナル活動は、表現方法を変えながらどんどん広がっていったのです。**

私の作品や私のスケッチジャーナル本を教材にして、スケッチジャーナル作品を見せ合う会もあるようです。みんなでスケッチジャーナルを作って日常の様子を共有するのは楽しいものです。PTAの会合に使うチラシを手書きする時や、保育園との連絡ノートにちょっとしたイラストを描く時に私の本を参考にしているとも聞きました。実際の創作活動や創作生活に自分の作品や本が役に立っているなんて、著者冥利に尽きます。とても嬉しいです。

自分のスケッチジャーナル作品が日本各地の書店に飾られたこともあります。そのタイミングで札幌、静岡、名古屋、金沢、京都、そして東京で作品を説明する機会を作り、トークイベントを展開しました。私の作品に影響を受けて、絵を描き始めてスケッチジャーナルにも取り組んでいるという人に、そこで何人も会いました。

展示会をやっていた時はたくさんのお客さんが来てくれました。作品をZINE（自家製の小冊子）にまとめて販売した時は、出した

生きてきた証を認めてくれる人たちが100人もいれば十分！

ものを全部買ってくれる人たちもいました。**自分のためにやっていた創作活動が、みんなの読み物になり、そして好奇心をくすぐるチャンスになってくれたのです。これも、私が生きてきた証です。**

普通に暮らしていたら「あなたのことが好きだ」とはなかなか言われる立場にはならないでしょう。けれどアートをやっていると「あなたの作品が好きだ」「あなたの作風が好きだ」と言われることがあります。日曜芸術家を続けていれば、そう言ってくれる人たちが現れるのです。

「なんだか味のある絵ですね。部屋に飾りたいな」という嬉しい反応もあります。初めて創作を始めた頃には全く想像していなかった現実が広がります。それは自分の脳内から外側に現れた世界。作品は自分のものであり、自分の分身となって表現を伝えてくれるでしょう。自分が宣伝しなくても、身近な家族や友達、そして時にはお客さんたちが作品を広げてくれます。

とはいえ、**日曜芸術家としてのファンの数**はどれぐらいまで広げれば良いのでしょうか。私は**100人いれば十分**だと思います。SNSのフォロワーや動画チャンネルの登録者の数を拡大する必要はありません。あくまでも自分のセンスに共感してくれて作品を喜んで見てくれる人たち。もちろん読者さんがスケッチジャーナルを通じて人気アーティストになるのは歓迎で、制限するわけではありません。フォロワー数などはあくまでもプラットフォーム側の数値なので、楽しく穏やかに、そして時には熱く創作活動を共鳴し合う関係性は、100人くらいが上限のような気がしています。

私もこの10年間の活動の初期はネットワークを広げるようなことをやっていましたが、望まない出来事や価値観の違いをたくさん経験したので、拡大志向はやめました。

スケッチジャーナルに描いたスケッチや文字、写真、スクラップは、未来で過去の記憶を呼び覚ますスイッチです。1つ1つの記憶のアイコンのようになった情報のパーツは、あの時その時に何があったか、どんな気持ちだったか、環境はこんな感じといった情報を詳細に思い出させてくれます。だからこそネガティブに感じたことをリアルに描かない方が良いのです。

スケッチジャーナルは、過去の満ち足りた記憶を呼び覚ますスイッチでもあり、幸せのアーカイブでもある。

スケッチジャーナルの作成時期がわかれば時間の流れまで蘇ります。3年前の今日、キャンプをしていた場合、作品を観るとその時の天気や食べたものを思い出せることでしょう。旅先で過ごしたならその思い出が、外食していたならメニューの味と一緒にいた人との会話が脳内で再生されます。**ただの出来事が、スケッチジャーナルの中で自分の日々の物語になっていく**のです。

自分の記憶、好きなもの、興味関心をもとにして、作品を作りたい。この流れが始まると創作エネルギーはもう止まることはないでしょう。たとえ仕事や家のこと、資格試験や語学学習などで多忙になり、描く時間がなくなっても大丈夫。創作が一時停止してしまうと、ちょっと焦るかもしれません。けれど、この創作活動は自分がやっていること。誰かと比較する必要はありません。創作のペースも普段の暮らしに合ったやり方で問題ありません。

忙しくて創作活動の時間が取れなくても、好奇心があれば大丈夫。
埋まっていない手帳やノートは、再び開く時までひとまず収納を。

大切なのは停止してもいいからまた再開すること、そして小さくても少しでもいいから継続させること。**創作時間がなくても、いつか描くためのネタ集めは毎日できます。好奇心は自動で走り出してネタを集めようとします。**

そして、そうしている間にゼロノートが文字とアイデア、スケッチ、切り抜き、写真などで埋まっていきます。構想がどんどん生まれて、忙しさがひと段落して創作時間ができた時に集中すればOK。ノートを開いて描き始めれば、あっという間に作品が出来上がります。作品が生まれなくても良いのです。アイデアだけでもいいし、ただ落書きスケッチや模写などの**創作のかけらに過ぎなくてもいい。**日曜日の芸術活動を続けて、生み出したものが溜まって、流れて、アーティストになっていく。私がある日突然絵を描きはじめて、それからしばらくしてスケッチジャーナルに取り組み、ずっと長い間にわたり継続してきたことがすべてだったのです。

続けるために全体像を計画を

というわけで、改めて自分のスケッチジャーナルの計画を立てましょう。スケッチジャーナルは基本的に余暇を過ごす1つのアイデアにすぎません。しかしながら仕事とは異なり、余暇の時間は計画されていない分、いろいろな外部の状況に影響されてしまいがちではないでしょうか。

なかなか続かない、あるいは続ける自信がないという人は、**スケッチジャーナルの創作活動を始める最初の段階で、次の3つの項目について計画を立てると良いです**。これは私が行っているスケッチジャーナル教室でも生徒さんにやっていただく作業です。絵の上達を目指しながら先生の指導を受けながら先生のような絵を描くことができるのも素晴らしいことですが、スケッチジャーナルには先生がいません。現在のあなたが未来のあなたにとっての先生だと言えます。そして、あなたが先生になるにあたって役立つのが、私が「ロール」「ルール」「ツール」と呼ぶ3つのフレームです。それぞれについて考えていきましょう。

まずはロールです。ロールとは役割のことです。あなたにとって絵はどんな役割を担うのでしょうか。ここで**あなたが絵を描くための目的を定めます**。絵を描くのに目的など必要なのだろうか、と思ったかもしれませんね。あなたにとって絵とは「心を穏やかにする癒しの手段」でしょうか。「集中する時間を作るための瞑想」、それとも「東海道を歩くという趣味をビジュアル化する表現方法」でしょうか。「料理教室で習ったメニューのスケッチ」「子どもの成長日記に使うイラスト」「仕事をもっとクリエイティブに行うための図解」「日々の記憶をスケッチで残すログ」「イラストレーターになるためのアイデアスケッチ」などなど、いくつも出てきそうです。

次にルールを考えます。ルールは規則のことで、**自分がスケッチジャーナルを楽しむための取り決めを定めます**。これもとても重要な作業です。いつ、どこで創作するのか。週にどれくらいの時間をかけるのか。ライフスタイルによってさまざまなパターンが考えられます。子育て中の人は赤ちゃんが昼寝している時だったり、保育園に預けている時間帯だったり、むしろお子さんと一緒にいる時間だったり。料理が趣味の人はキッチンでクッキングしながら絵を描くのもいいですね。私のように毎日のように散歩する人なら屋外で作るというルールも楽しそうです。無理のないように決めるのがポイントです。

最後にツール、これは道具です。何を使ってスケッチジャーナルを作るのかという設定をします。もちろん自由に選んで使って良いのですが、作品から統一感が出た方が良いですし、道具に縛りがあった方がクリエイティブが生まれやすいという側面もあります。まだ決められない場合は、最初はたくさんの道具を使ってみましょう。自分がしっくりくる道具に絞り込んでいきます。使ってみてから買いたい、という人は大型の文具店や画材店に行ってみてください。サンプルを試すことができます。

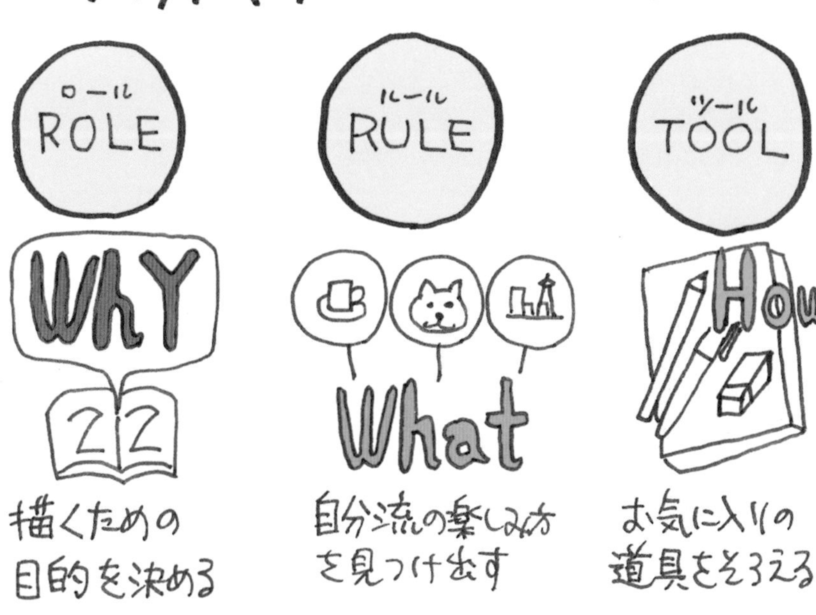

ロールに従えば、「余暇」が幸せで満たされる

ロールの大切さについて補足します。

スケッチジャーナルでは自分が持っている自由時間を計画的に使って、ロールを定めて情報を集約していきます。そして、それを描きたいという目標が自然と生まれて行動に移され、その結果がスケッチとしてログに残ります。つまりスケッチジャーナルを作る人は「今日は何もやらなかった」という状況にはならないということです。ただ絵と記録を残すだけの作業とも言えますが、私はこのことから、定めたロールが何であれ、スケッチジャーナルは**「自分の余暇を賢明に過ごすためのツールである」**という事実に気づきました。

162ページで例に挙げたようなロールに従って創作活動することは、どれも設定した自分にとってはメリットでしかありません。だからこそ、日常を忘れるくらい没入できるのです。

と、もっともらしく書きましたが、実はこの気づきには元ネタがあります。スケッチジャーナルを創作する時の楽しさの理由を探していたところ、『フロー体験 喜びの現象学』（M.チクセントミハイ著 今村浩明訳、世界思想社刊）の中に**「余暇を再創造する」**という表現を見つけました。これを簡単に説明すると、「余暇＝自由時間」を数量化し、その自由時間を浪費することなく賢明に使う、ということ。これを読んで私は、ロール設定の重要性を再確認し、評価モードで私がやっている時間のコントロール（94ページ参照）を始めたのです。

スケッチジャーナルで「フロー状態」に没入！

ちなみにスケッチジャーナル活動の楽しさの理由も、この本に書いてありました。**「自分の過去を自分の解釈で創造的に決めている（人に任せない）」**からだ、と。

まさに私がスケッチジャーナルでやっていたのは、これでした。本に出合う前から、自分の体験をそのまま手帳やノートに描くのではなく、いったん自分なりに解釈して冷静に判断してから入れてい

くようにしていたのです。

最適な経験と幸せを感じる状態を「フロー」と定義したチクセントミハイ氏は、**「過去を記録すると生活の質が高まり、それは自分の人生の歴史家の作業である」**とも書いています。なんだかスケッチジャーナルのことを指して褒められているような気がして、嬉しかったのを覚えています。

スケッチジャーナル的に「余暇を再創造する」とは？

自由時間を数量化する

1週間168時間のうち自由時間がどれくらいあり、その中でアートに使える割合は？

自由時間を浪費しない

自由時間の阻害要因を見つけて、その排除と時間浪費の再発防止策を実行する

自分の余暇を賢明に用いる

時間配分の結果をチェックして、問題を発見した場合に見直しする

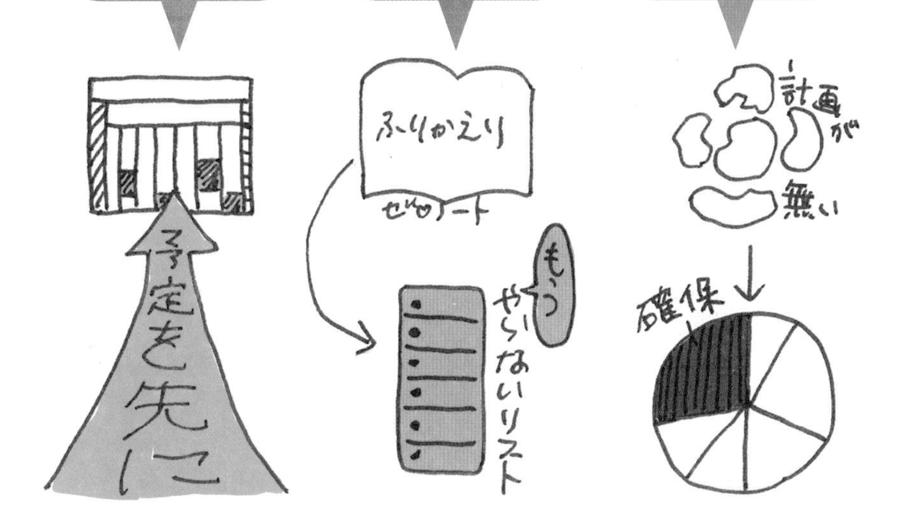

必要な時に創作に没頭できるような仕組みを作る

自分の表現ができるようになるためには、創作活動に没頭して確実に作品を仕上げる準備が必要です。集中して作業することで初めて、自分の頭の中の雑念や邪魔をしてくる何かを気にしない状態で創作活動を行うことができるからです。

まずはじめに行う準備は、目的を明確にすること。現在進めているスケッチジャーナル作品の完成に向けて、今は何の作業を行うために、没頭するのかを思い返しましょう。そのために、スケッチジャーナル制作の計画段階で、完成に向かう流れに沿って必要な作業項目を分けておくと良いでしょう。1つずつクリアしていくイメージです。

次に没頭するための設定です。**何時間集中して作業を行い、何をどこまでできたら最高、どこまでできたら良しとする、というゴールを決めておきます**。

最後に没頭の方法です。作業に集中するための準備をします。例えば自宅の部屋で行う場合は、気が散るものを作業スペースから外します。私の場合はスマートフォンの通知をオフにしてSNSのチェックをしばらく控え、ノイズキャンセリング機能付きのヘッドホンを耳にセットしてお気に入りのプレイリストをかけます。耳栓をすることもあります。家族や友人に「何時まで創作活動をしているので配慮してほしい」とか「その時間は連絡ができないので、あとで連絡する」といったメッセージを送っておくと安心です。

準備が整ったら、いよいよ創作活動を始めます。この時、机に座ったり、手や顔を軽く叩いたら創作モード、創作用の音楽を聴いたら作業開始、いつも同じアロマオイルをたくといった**ルーティンを決めておくのも没頭するのに効果があります**。

とはいえ、目標に向かって動いている時、何らかの邪魔が入るのは仕方がないことです。あなたが立てた計画がうまくいかない状態です。これを容認する必要はありません。自分の創作活動にとってどれくらい問題なのか、解決策は考えられるかといった検討を行いましょう。制限された状況であるならば、例えば創作時間が半減した場合や創作場所が確保できなくなった場合、**むしろその状況を楽しむことはできないか。他の人に役割を代わってもらうことで元の余裕を取り戻せないか。そういった試行錯誤自体も楽しくなってくるでしょう。**

私にもさまざまな制限が降りかかってきましたが、その度に目標を邪魔する問題に取り組み、解決してまた自分の創作活動に戻ることができました。これはおそらく永遠にやっていく課題だと捉えた方がよさそうです。

一方で制限されたり禁止された方が、クリエイティビティが発揮されることがあります。これは心理学でいうところの「心理的リアクタンス」という状態。人間は制限された自由を回復するように強く動機づけられている生き物なのだそうです。ノートに絵を描くという行為自体も、スケッチブックや1枚の紙に描くよりもある意味難しいと言えるため、この制限をクリアしたいと思う心理的効果が影響しているのかもしれません。

没頭準備OK！のハヤテノ。

「自分なくし」の瞬間を味わい尽くそう

スケッチジャーナルを完成させるための創作活動に没頭して、それ以外のことは考えずに１つのことに集中している状態――その時は自分の過去を後悔したり未来に不安を感じたり、誰かと自分を比較して気分が落ちてしまったり、といったことがありません。特に真夜中の時間帯に１人で創作を行っている時には絵の材料となる素材を見る、絵を描く、文字をつづる、眺める……という一連の動作に集中し、頭の中には雑念がありません。いつの間にか、音楽がかかっていることを忘れるくらい集中して創作を行っています。

作業のメドは枠を埋める、１ページを埋める、見開き２ページを埋める、１カ月分のカレンダーを埋める、ノート１冊埋める、今日の目標まで埋めるなど自由時間と相談を。その目標の達成や作品の完成に到達するまで、ただひたすら創作しましょう。その後あなたは、自分が数時間通して集中していることを知るでしょう。このような１点に止まっている状態だけではなく、移動している時にも楽しくなることがあります。例えば絵のネタを集めるための日常的な散歩の時は、次から次へと気になる情報を見つけては記録し、写真を撮り、また移動する。この常に動的な好奇心によって、頭の中の雑念は静かになっているようです。

このような状態をずっと続けていた頃に、時間を忘れるほど没頭して作業している状態を「フロー」と呼ぶことを知りました。そこからチクセントミハイ氏の本でフローについて読んで腑に落ちました。フローとは「１つの活動に深く没入しているので他の何ものも問題とならなくなる状態。その経験それ自体が非常に楽しいので、純粋にそれをすることのために多くの時間や労力を費やすような状態」を指します。

ただ絵を描き続けてきただけなのに、なぜ自己肯定感が高まり、いつも上機嫌で周囲の人を前向きに変えて、環境での行動に前向きなのか。それは自分のフロー状態をいつの間にか増やし、心理的に安定していたからだったようです。「あなたはいつもニュートラルに見える」「なぜ精神のバランスを取れるのか」とよく言われます。実際に自分はアドレナリンが出るような興奮する出来事よりも、ちょっと楽しい出来事がずっと続いているような状態が好きです。

ただこのような訓練を続けている私ですら、「自分なくし」の逆の状態に落ちることがまだあります。何かに気を取られて頭の中が何かでいっぱいになっている状態や、未来や過去にとらわれて今の目の前のことが何も手につかない、感情が高ぶり誰かと自分を比較して複雑な気分になっている、不安が何かわからないモヤモヤした状態などです。

このような事態になったら、いったん頭から物理的におろします。**ノートに雑念を書き出すのです。**その時にニュートラルかポジティブな解釈を与えることで、客観的に自分を見て、落ち着いた状態に戻ります。スケッチジャーナルは出来上がった作品を見返し、その瞬間を思い出して再び記憶を味わい、自分の人生を振り返るためのフィードバックをプロセスに入れています。これはまさに「どの部分が強い関心をひくか」「何に意味を感じるか」にあたるでしょう。

そして、ここまで述べてきたように、スケッチジャーナルは自分の歴史を再読するだけでなく、未来を構想する効果もあります。**何気なく過ごした1日の結果を描くのをやめて、未来に定めた目標（美味しいグルメを食べる、大好きな人に会いにいく、浜辺を散歩するなど、なんでもよい）を描くと決めて行動する。その結果を作品として表現する。創作に没頭した自分は時間を忘れるほど集中し、とても気持ちの良い状態で今を楽しむ。この体験は素晴らしいので、ぜひ味わっていただきたいと思います。**

ハヤテノ、フロー中。

巻末特典

マンスリージャーナル

Monthly Journal 2023

ハヤテノコウジが独り占めしていた
2023年のマンスリージャーナルを本邦初公開。
1年365日分のマス目を眺めるだけでも、
あなたの創作活動にきっと役立つはずです。

1 January 2023

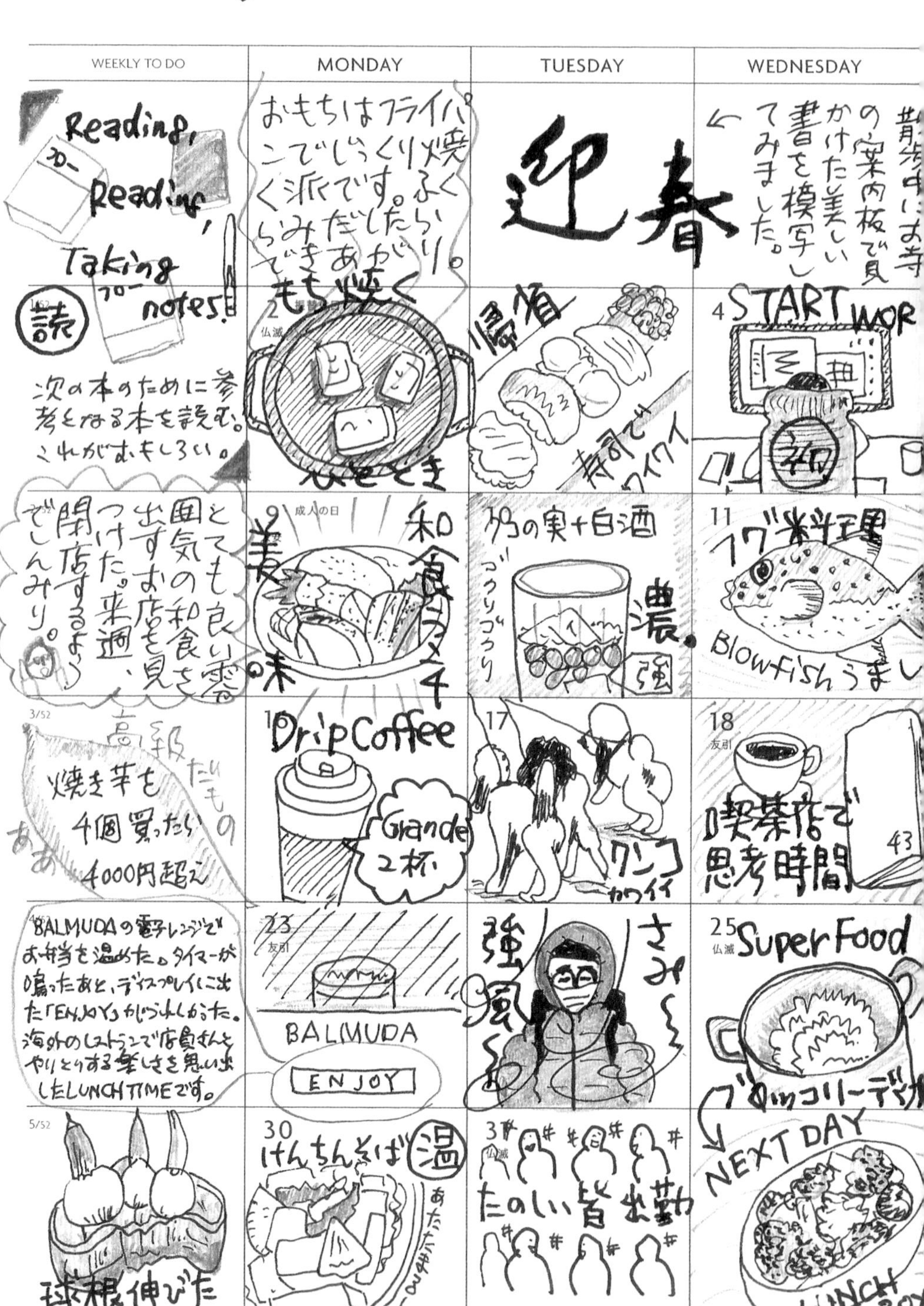
WEEKLY TO DO
MONDAY
TUESDAY
WEDNESDAY
Reading, Reading, Taking notes!
読
次の本のために参考となる本を読む。これがおもしろい。
おもちはフライパンでじっくり焼く派です。ふくらみだしたらできあがり。
もち焼く
迎春
散歩中にお寺の案内板で見かけた美しい書を模写してみました。
2 振替 仏滅
帰省
寿司でワイワイ
4 START WOR
和
とても良い雰囲気の和食さおすすお店を見つけた。来週、閉店するよ。でもしんみり。
9 成人の日
美味
和食
竹の実+白酒
ゴクリゴクリ
濃
強
11 フグ料理
Blowfishうまし
3/52
高級焼き芋も4個買ったら4000円超え
だもの
あぁ
16 Drip Coffee
Grande 2杯
17
ワンコ カワイイ
18 友引
喫茶店で思考時間
43
BALMUDAの電子レンジでお弁当を温めた。タイマーが鳴ったあと、ディスプレイに出た「ENJOY」がうれしかった。海外のレストランで店員さんとやりとりする楽しさを思い出したLUNCH TIMEです。
23 友引
BALMUDA
ENJOY
強風
さみ〜
25 仏滅 Super Food
ブロッコリーデ
NEXT DAY
LUNCH BOX
5/52
球根伸びた
30 けんちんそば
温
あたたまる
31 仏滅
たのしい皆出勤

ハヤテノコウジのマンスリージャーナル

新年スタートダッシュの1月の日々

12 December 2022

M	T	W	T	F	S	S
			1	2	3	4
5	6	7	8	9	10	11
12	13	14	15	16	17	18
19	20	21	22	23	24	25
26	27	28	29	30	31	

2 February 2023

M	T	W	T	F	S	S
		1	2	3	4	5
6	7	8	9	10	11	12
13	14	15	16	17	18	19
20	21	22	23	24	25	26
27	28					

2 February 2023

ハヤテノコウジの
マンスリージャーナル

グルメとさんぽがあれば良い2月

1 January 2023

M	T	W	T	F	S	S
						1
2	3	4	5	6	7	8
9	10	11	12	13	14	15
16	17	18	19	20	21	22
23	24	25	26	27	28	29
30	31					

3 March 2023

M	T	W	T	F	S	S
		1	2	3	4	5
6	7	8	9	10	11	12
13	14	15	16	17	18	19
20	21	22	23	24	25	26
27	28	29	30	31		

3 March 2023

WEEKLY TO DO | MONDAY | TUESDAY | WEDNESDAY

9/52

ハヤテノコウジの
マンスリージャーナル

運動しておいしいものを

3月も
歩いてメモ書いてスケッチして食べて飲んでまた歩いて写真とってスケッチして歩いてまた食べた。

1
大安

47冊目の
セ8ノート
47
Campus

10/52

Walking
Apple Watch が言うままに歩き続けて目標クリア

6
仏滅
昔の会社の仲間と
新人のころからの付き合いの仲間とこうして語ることができる幸せをかみしめすぎてしゃべりすぎた

7
NICE YAKITORI

8
楽しい会議の入り口と出口と
IN
OUT

11/52

良い香り
部屋の花

13
大安
久しぶりのホワイトボード
だんだんとオフラインのミーティングが戻ってきている。ホワイトボードにリアルに描くと話がとても早い。

14
ホワイトデイ

15
朝食
だから2本
ちっちゃいBanana.

12/52

とてもGOODな
だいこんツナサラダ
お気に入りの野菜も売っているお店です
すめられた組み合わせがめちゃくちゃやなおいしさだった。

20
赤いだいこん
ツナ缶

21
春分の日

22
クスノキの
下のハヤテ
東京大学大学院理学系研究科附属植物園
小石川植物園

13/52

排骨 chilled Noodle
冷やし担々麺
揚げた豚肉の味付け良し
排骨

27
五ノ井
きゅうり
わかめ
Great favorite

その昔、渋谷にあった名店「亜寿加」の味を引き継いでいる、とてもすばらしいラーメン店。神保町にあります。排骨がとてもおいしくて休日はできるだけ行きたいと思う、お気に入りのひとつです。オススメ×3倍!!

28
友引
仮眠
ちょっとだけ
ひたすら、
原稿入力。
したいところだが眠い、が、がんばる
エライぞ自分。

29
カマスのひらき
うまい
大分土産の
たんぱくなのが
スキ

THURSDAY
FRIDAY
SATURDAY
SUNDAY
2
シメはオムライスで
居酒屋さんに
オムライスがおいてあるところが
気にいった。昔
の同僚とかつて
3
ひなまつり
4
友引
散歩中
ウメ
9
こんぶ塩
貝
10
友引
膳楽房
11
階段をのぼり忘れてこちらさ見るワンコの愛しさよ……
12
仏滅
昔ときどき行ってた喫茶店に久しぶり
16
酒屋にて
びっくり!!
うまし
17
里麺
18
仏滅
ひたすら入力
19
大安
ソフトクリームでウォーキングの
美しい長いスタイルを少し眺めてから味わう幸せ
23
Hi, everyone
語で自己紹介
24
仏滅
Challenge
少しずつ楽しくなる
Studying English
25
大安
部屋の花
癒し
30
仏滅
TOMATO
31
大安
Yummy
うまし
久しぶりのチーズバーガー
レモンとジンジャーとソーダが合わないわけがない
さわやかでのどごしがとても良い
TOMATO + 担々麺
TOMATO TANTANMEN
It tastes like heaven!!
2 February 2023
M T W T F S S
1 2 3 4 5
6 7 8 9 10 11 12
13 14 15 16 17 18 19
20 21 22 23 24 25 26
27 28
4 April 2023
M T W T F S S
1 2
3 4 5 6 7 8 9
10 11 12 13 14 15 16
17 18 19 20 21 22 23
24 25 26 27 28 29 30
辛さとすっぱさがマッチしてびっくりのおいしさ。こればかり注文してしまう。

4 April 2023

WEEKLY TO DO
MONDAY
TUESDAY
WEDNESDAY
13/52
ハヤテノコウジの
マンスリージャーナル
1日1日が楽しみの発見の4月
塩で食べる
コロッケ
拙著「東京わざ
の韓国語版が到
「오늘도 문구점에
(今日も文具屋さんに
MY BO
14/52
ガ〜ピ〜ブ〜ギ〜
人生初のMRIはものすごい大きな音であり聴いたことがないタイプのメロディというかなんというかあの世にワラってしまう感あり。グ〜ピ〜ガッチャンブ〜
3
友引
初
MRI
カラアゲ
OBENTO
切り干し大根
コロッケ
つけもの
鶏ごはん
はるさめサラダ
LUNCH BOX
5
仏滅
15/52
居酒屋ランチ
10
和風ハンバーグ
11
仏滅
よく1を見る日
12
大安
文具談笑
stationery pal
手のひらを太陽に
四月二十日(木)
晴天の中を歩いていると小学生のころに習ったこの歌が脳内で流れてきた。「手のひらを太陽にすかしてみればまっかに流れるぼくの血潮」ということですかしてみた。本当に流れていた。僕はみんな生きている。
17
仏滅
Sunny
18
大安
歩く
19
期日前投票
17/52
24
六本木
25
友引
エントロピーは低く
26
Salad
Amazingly delicious chilli bean burger
気の合う友人と本格的なハンバーガーを出すお店でランチ。ハンバーグの上にたっぷりのチリビーンズが乗ったメニューがサイコーにYummyでした。(ゴリゴリバーガータップルーム)
エントロピーは「無秩序な状態の度合い」を表すので、秩序を保つにはどうやってひくくするかを考える。
ブロッコリー
レタス
キュウリ
トマト
ラディッシュ
ジャガイモ
フライしたサバ

THURSDAY
FRIDAY
SATURDAY
SUNDAY
行きたい（2019年）
街の文具屋さん」
THANK YOU
変わったメガネをかけているせいか、赤ちゃんにじぃ〜っと見られることがあり、こちらがアクションするとニコニコしてくれる。
1
CUTEな BABY
書店にて
2
銀座
歩行者天国
6
大安
おでんとベーシックおこわのセット
おでんランチ(良)
7
犬に見つめられる
8
ふるさとの神社へ
9
友引
公園の池
のんびり
13
サクサクだけど中もしっかりと歯ごたえあり
クロワッサン
14
宇宙は宇宙でしかない
人間のことは気にしない
15
友引
月と散文 又吉直樹
16
靴下の猫
20
手のひらも太陽にすかす
21
仏滅
ああ飲んだ
あああ飲んだ
うまかった
ウーロンハイ
22
大安
肉
ジュウジュウ〜
23
浅草
泡？
27
仏滅
Town cat
中華カレー
Yummy
昭和の日
神田川沿い散歩
30
ひたすら入力
蔵前の猫
歩いていたら神社の前になり、ふと境内を見るとこの猫がいた。とても堂々としていてもしかしたら神様が寝ているのかも、と空想をふくらませてみた。
3 March 2023
M T W T F S S
1 2 3 4 5
6 7 8 9 10 11 12
13 14 15 16 17 18 19
20 21 22 23 24 25 26
27 28 29 30 31
5 May 2023
M T W T F S S
1 2 3 4 5 6 7
8 9 10 11 12 13 14
15 16 17 18 19 20 21
22 23 24 25 26 27 28
29 30 31

5 May 2023

WEEKLY TO DO
MONDAY
TUESDAY
WEDNESDAY
お肉が階段のように並んでる→
六本木の焼肉屋さんのコースのレイアウトがおもろい
1 友引
焼肉
六本木
2
Yum!!
シンプルラーメン
3 仏滅
芝生でねる
没頭して創作をしているときそこに自分はもういないような感覚になることがある。それはフロー状態というらしい。
8
チャレンジ
スキル
フロー
ミハイ・チクセントミハイ
9 仏滅
おいしいギョーザを食べながら語る。
10 大安
良い天気
極上のオムライス
日本橋
15 仏滅
哲学みたいなことを語り合える年のはなれた友人がいるのはとてもうれしいと思う。
16 大安
さんぽと鯛焼
疲れにきく
17
コーヒーフロートのおいしい季節
スキ
スケッチジャーナルの本にも書きました。ターゲットは未来の自分。デイリー、ウィークリー、テーマなどスケッチジャーナルはいろいろあります。
マンスリーだけがSJじゃない
22
ON
ひとことSJ
スタート
23
BOOKでべんきょう
江戸絵画お絵かき教室
府中市美術館 編・著
おもろ!!
24
THE 昭和なラーメン
Hydrangea 紫陽花
29
Thank you, my friend.
Nice coffee
30 友引
ついに!!
Text
Design
31
5 May
Monthly Journal
ETHIOPIA
80年代〜90年代
プレイリスト
00年

MONTHLY

THURSDAY
FRIDAY
SATURDAY
SUNDAY
4 みどりの日
鯉のぼり
隅田川散策
5 こどもの日
TOKYO STATION
丸の内散歩
COFFEE TIME
7
シューマイランチうまし
11
なじみの店でシューマイ
12
敵の敵は味方
355
とても良いスパイ映画!!
13 友引
カタカタカタカタカタカタ
カタカタカタカタカタ
ひたすら執筆
14 母の日
今日、文具屋めぐり。
18
スースースー
ネマス…
19 友引
スースー
……ネマス
仏滅
Factoryのコロッケパンサイコーです
21 大安
久しぶりのスワンボート
25
Local Bar
with my friend
26 仏滅
80's
同年代の友人が突然に推し活を始めて、ちょっと楽しそうだなと思ったら自分は逆に昔のアイドルたちの美しさを再認識している。子どもに戻って。
27 大安
笠間で
父と母へプレゼント
笠間焼
28
おたふく?
地元のおだんご屋さんの立札にいたキャラ
栃木
旅行ムービーっぽいチャレンジ
iPhoneのiMovieアプリで、見よう見まねでムービーを作ってみた。ショートムービーもつなげてミュージックとアテレコを追加。初めてにしては上出来かも

4 April 2023

M	T	W	T	F	S	S
					1	2
3	4	5	6	7	8	9
10	11	12	13	14	15	16
17	18	19	20	21	22	23
24	25	26	27	28	29	30

6 June 2023

M	T	W	T	F	S	S
			1	2	3	4
5	6	7	8	9	10	11
12	13	14	15	16	17	18
19	20	21	22	23	24	25
26	27	28	29	30		

ハヤテノコウジのマンスリージャーナル

動く、止まる、動くの月

6 June 2023

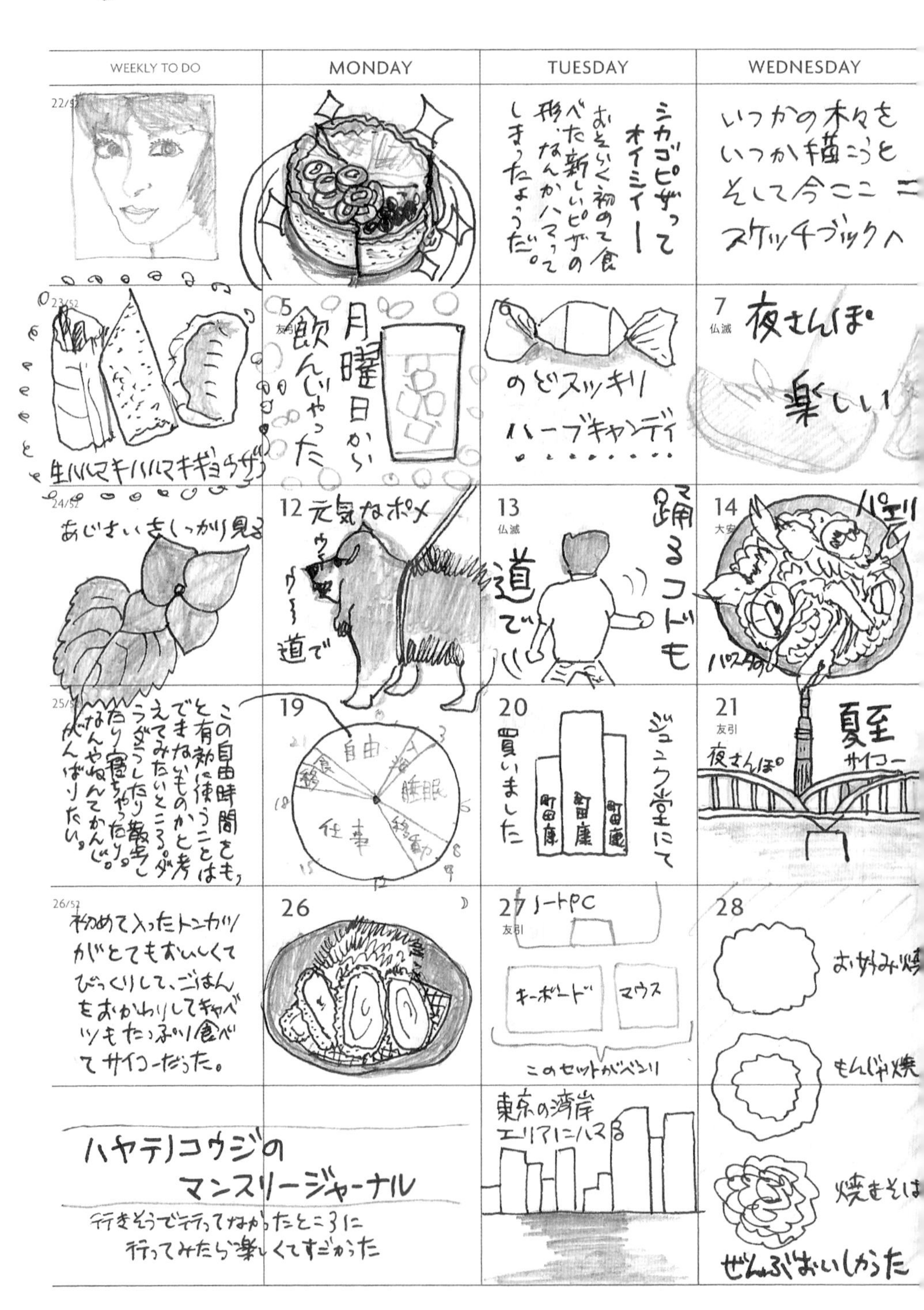

WEEKLY TO DO
MONDAY
TUESDAY
WEDNESDAY
22/52
シカゴピザってオイシイー
おそらく初めて食べた新しいピザの形、なんかハマってしまったようだ。
いつかの木々を
いつか描こうと
そして今ここ ニ
スケッチブックへ
23/52
生ハルマキハルマキギョウザ
5
友引
月曜日から飲んじゃった
6
のどスッキリ
ハーブキャンディ
7
仏滅
夜さんぽ
楽しい!
24/52
あじさいをしっかり見る
12 元気なポメ
ウ〜ウ〜
道で
13
仏滅
踊るコドも
道で
14
大安
パエリ
25/52
この自由時間をもっと有効に使うことはできないものかと考えてみたいところ。だうだうだしたり散歩したり寝ちゃったり。なんやねんてかんじ。がんばりたい。
19
自由
食
移
睡眠
仕事
移動
20
買いました
ジュンク堂にて
町田康
町田康
町田康
21
友引
夏至
夜さんぽ
サイコー
26/52
初めて入ったトンカツ屋がとてもおいしくてびっくりして、ごはんをおかわりしてキャベツもたっぷり食べてサイコーだった。
26
27 ノートPC
友引
キーボード
マウス
このセットがベンリ
28
お好み焼
もんじゃ焼
焼きそば
ぜんぶおいしかった
ハヤテノコウジの
マンスリージャーナル
行きそうで行ってなかったところに
行ってみたら楽しくてすごかった
東京の湾岸エリアにハマる

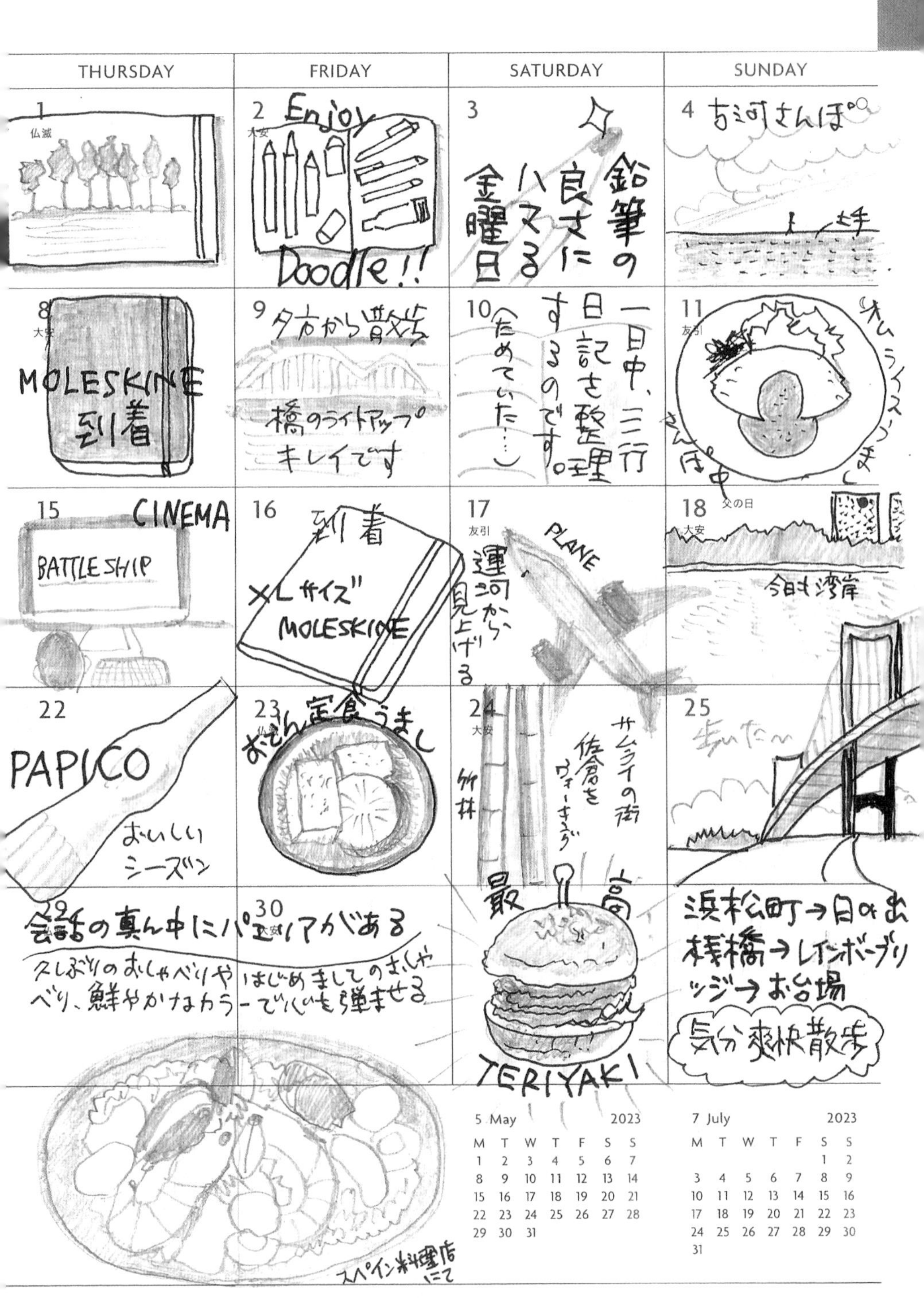
THURSDAY
FRIDAY
SATURDAY
SUNDAY
1 仏滅
2 大安 Enjoy Doodle!!
3 鉛筆の良さにハマる金曜日
4 古河さんぽ
8 大安 MOLESKINE 到着
9 夕方から散歩 橋のライトアップ キレイです
10 一日中、三行日記を整理するのです。（ためていた…）
11 友引 オムライスつつまれさんぽ中
15 CINEMA BATTLESHIP
16 到着 XLサイズ MOLESKINE
17 友引 PLANE 運河から見上げる
18 父の日 大安 今日も湾岸
22 PAPICO おいしいシーズン
23 仏 おでん定食うまし
24 大安 竹林 サムライの街 佐倉をウォーキング
25 歩いた〜
29 30 大安 会話の真ん中にパエリアがある
久しぶりのおしゃべりやはじめましてのおしゃべり、鮮やかなカラーで心も弾ませる
スペイン料理店にて
最高 TERIYAKI
浜松町→日の出桟橋→レインボーブリッジ→お台場
気分爽快散歩
5 May 2023
M T W T F S S
1 2 3 4 5 6 7
8 9 10 11 12 13 14
15 16 17 18 19 20 21
22 23 24 25 26 27 28
29 30 31
7 July 2023
M T W T F S S
1 2
3 4 5 6 7 8 9
10 11 12 13 14 15 16
17 18 19 20 21 22 23
24 25 26 27 28 29 30
31

7 July 2023

WEEKLY TO DO
MONDAY
TUESDAY
WEDNESDAY
26/52
自分の部屋にこの植物？・花？・草？がしばらく飾ってあったんだけど、存在感がすごかった。なぁ。
植物？草？いったい何なのかな。
茎がどんどんカットされていた。
大洗
おでんやさんでレモンサワー
おいしいおでんとさわやかなレモンサワー
Lemon
なかなか始めないけど始めるとあっというまに終わるよ
27/52
3
友引
ぱいこう
冷
たんたんめん
4
5
仏滅
おいしいパフェ
ラフスケッチ
28/52
海を見てボォ〜とするハヤテノさん
10
明太子
高菜
11
仏滅
12
大安
Weekly
Journal
29/52
いいよねー潮風
17 Roenge でWriting
仏滅
少しだけはかどる
18
Rollbahn
ロルバーンを始める
シュークリーム
好きな
30/52
24
いっぱいいた
25
26
友引
31/52
ワンコがバッグの中でおとなしくしていた
Very Cute Dog
31
Summer Tomato Cucumber
JOHANNA GULLICHSEN
渋谷のhaus&terraseでヨハンナ・グリクセン（フィンランド）のメガネケースを見つけてLucky!!探していたのだ。

THURSDAY
FRIDAY
SATURDAY
SUNDAY
20時以降にしっかりとした定食を食べることができるなんて本当にありがとうございます。
〈東京ミッドタウン〉
Hi!!
1
6 June
Monthly Journal
かちどきばし
さいこうの味 定食
大安
7 七夕
かんぱ〜い
Cheers!
8
KAIRAKUEN
好文亭からの眺め
13
Pork Ginger
14
たまたま手に入った洋食屋さんのしょうが焼がめちゃくちゃうまいとやったーとからよしっとか生きててよかったとか思うの
15
隅田川
波
16
Curry house
Poteto
20
友引
人気の洋食屋にて
と決意表明
21
銀座でしゃぶしゃぶコース
ざくろ
22
仏滅
公園の大木
子どものころからその下にいた
23
大安
ちゃぶ台と茶
実家にて
27
28
仏滅
凄腕。
私は叶いそうもない大きな目標を立てるの。そうなったらいいと思うことも。そして それを話すの。叶っちゃう。
My friend.
29
カフェーパウリスタ
COFFEE
GINZA
おしゃれフランス
GraFit 90g
文具
6 June 2023
8 August 2023
M T W T F S S
1 2 3 4 5 6
7 8 9 10 11 12 13
14 15 16 17 18 19 20
21 22 23 24 25 26 27
28 29 30 31
ハヤテノコウジの
マンスリージャーナル
いっぱいたべて いっぱい語る
すばらしい友と仲間に囲まれて

8 August 2023

WEEKLY TO DO
MONDAY
TUESDAY
WEDNESDAY
31/52
ハヤテノコウジのマンスリージャーナル
夏を満喫して飲んで食べる
1
友引
TOMATO
めっちゃうまいす
2 めちゃ安
ホッケ定食
32/52
飛ぶのだろうか
台風の中の帰省
飛んでも戻るかも
みたいな
7
友引
読書です
稼ぎ方 2.0
8
いちごのシェイクが
めちゃおいしい浅草
9
仏滅
お茶かすごくおいしい
和食屋に
33/52
鰹節問屋の直営のそばよし
そばつゆがとてもだしが効いていてゴクゴクのんでしまう。
キライス注文してかつお節ごはんにする。
サイコーにおいしい。
14
好みのナポリタンランチ
15
仏滅
オシャレ雑貨店
の文具コーナーを楽しむ
16
氷とチョコレートシロップ
とオレンジソースのか
き氷もモレスキンの
デイリーダイアリーへ。
34/52
変わりだねの冷やし中華
鳥そばさかりにする
店で冷やし食べ
ていたら、なんだか
かんぶーたうみたいになった
21
小松菜
かにかま
ねぎ
タマゴ
とりにく
しそ
22
いろいろ
イラスト提出
23
友引
お久しぶりっ!
飲
35/52
ほうじ茶ソフトクリーム
があると買っちゃう
28
月が明るくて
ずっと見ていた
YouTubeで
量子力学
量子物理学
をよく見る
29
友引
サンドウィッチの名店で
おそらく自分が食べたサンドウィッチの中で最もおいしかった。上質なパンとハムとチーズの具をほおばると幸せな気分になった。ありがとうございました。
30
お造り
刺身うまっ
ごちそうさま
YUWAERU

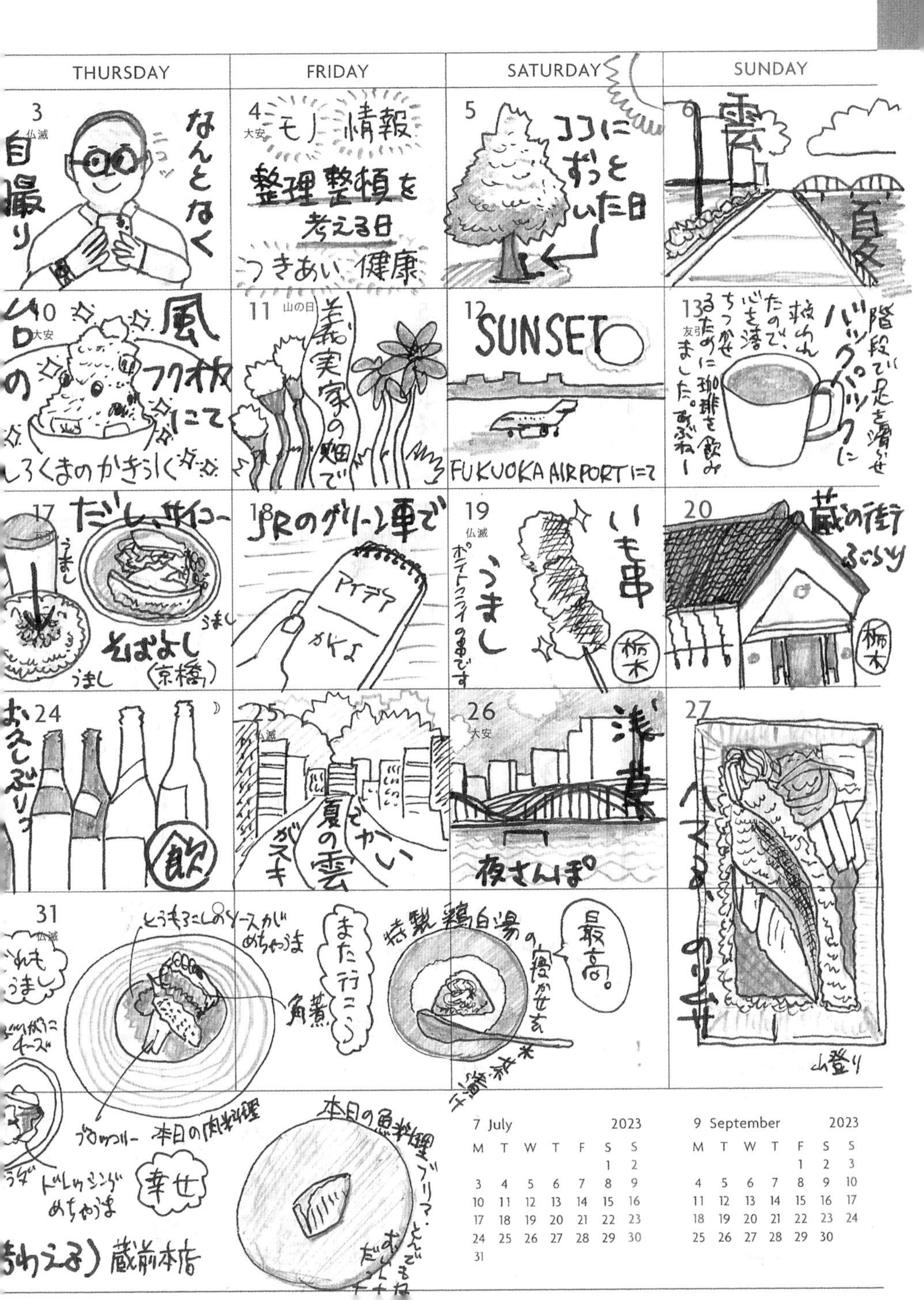
THURSDAY
FRIDAY
SATURDAY
SUNDAY
3
仏滅
自撮り
なんとなく
ニコッ
4
大安
モノ 情報
整理整頓を
考える日
つきあい 健康
5
ココにずっといた日
6
雲
夏
10
大安
台風の
フクオカにて
しろくまのかき氷
11
山の日
義実家の畑で
12
SUNSET
FUKUOKA AIRPORTにて
13
友引
あぶねー
17
友引
だし、サイコー
うまし
そばよし
（京橋）
18
JRのグリーン車で
アイデア
19
仏滅
ポテトフライの串です
うまし
いも串
栃木
20
蔵の街ぶらり
栃木
24
おひさしぶりっ
飲
25
仏滅
夏のでかい雲
26
大安
浅草
夜さんぽ
27
山登り
31
仏滅
これもうまし
とうもろこしのソースがめちゃうま
また行こう
特製鶏白湯の
最高。
角煮
ブロッコリー
本日の肉料理
幸せ
ドレッシングがめちゃうま
蔵前本店
本日の魚料理
7 July 2023
M T W T F S S
1 2
3 4 5 6 7 8 9
10 11 12 13 14 15 16
17 18 19 20 21 22 23
24 25 26 27 28 29 30
31
9 September 2023
M T W T F S S
1 2 3
4 5 6 7 8 9 10
11 12 13 14 15 16 17
18 19 20 21 22 23 24
25 26 27 28 29 30

9 September 2023

WEEKLY TO DO
MONDAY
TUESDAY
WEDNESDAY
35/52
気になるコトバ
過去の記憶がおまえに喜びを与えるときのみ、過去について考えよ。ーオースティン
意識
潜在意識
月をよく眺めた
今年の九月はいつもより月の方を見たり歩いていると月を見つけたりした。月は水を動かすので、水でできている人間も動かしている。
4 友引
昔の会社の先輩とワイン
濃いのが好みだった
5
THANKS
6 仏滅
ヒグラシの音で爆睡…
YouTube
37/52
よく見たもの
9月は東京スカイツリー
路地で芸能人ご一行
んっ あっ
12 仏滅
ギョウザ
夜さんぽで店さがし
おいしそう…
13 大安
ディナーは
ローストチキン
38/52
18 敬老の日 大安
sick
Rest
休息の日々
19
sick
Rest
20
回復
Recovery!!!!!
39/52
ウインナーアイス珈琲
25
フセンでスケッチジャーナル
26
MJのラフさ
ぜひノートにかく
27 友引
麻布十番
宝。
見ため驚き
日本橋の高島屋の新館にある喫茶店で、なんとなくウインナー珈琲を注文したら、すごいのが来た。味も良かった。
人の後ろ姿にドラマがある
モチーフを研究中….

ハヤテノコウジのマンスリージャーナル

切り換え時期の変化と準備

8 August 2023

M	T	W	T	F	S	S
	1	2	3	4	5	6
7	8	9	10	11	12	13
14	15	16	17	18	19	20
21	22	23	24	25	26	27
28	29	30	31			

10 October 2023

M	T	W	T	F	S	S
						1
2	3	4	5	6	7	8
9	10	11	12	13	14	15
16	17	18	19	20	21	22
23	24	25	26	27	28	29
30	31					

10 October 2023

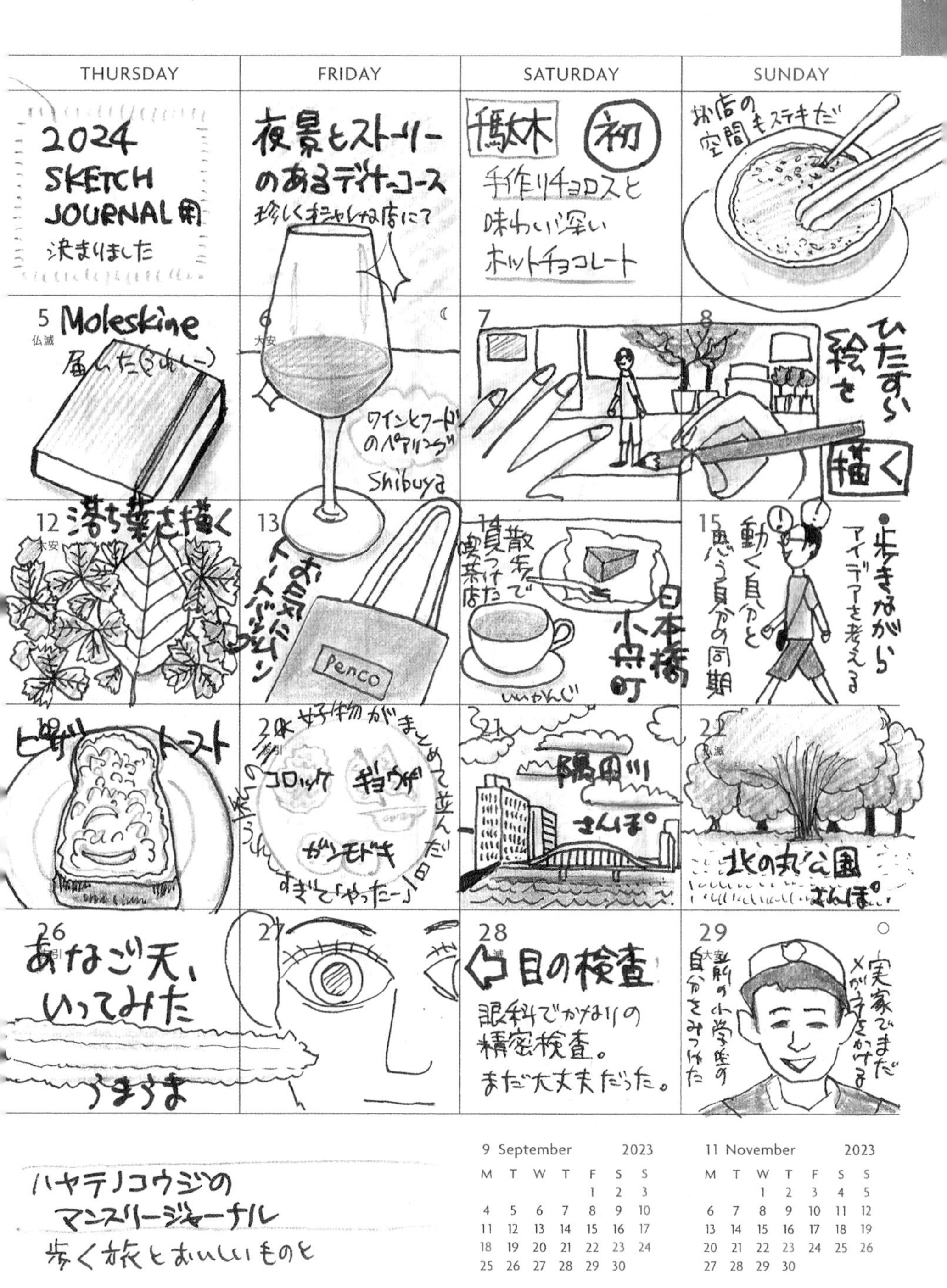

MONTHLY
THURSDAY
FRIDAY
SATURDAY
SUNDAY
2024 SKETCH JOURNAL用 決まりました
夜景とストーリーのあるディナーコース
珍しくオシャレな店にて
馬太木
初
手作りチョコロスと
味わい深い
ホットチョコレート
お店の空間もステキだ
5 Moleskine
仏滅
届いた（うれしー）
6
大安
ワインとフードのペアリング
Shibuya
7
8
ひたすら絵を描く
12 落ち葉を描く
大安
13
お気に入りのバッグ
Penco
14
散歩で見つけた喫茶店
日本橋小舟町
いいかんじ
15
動く自分と思う自分の同期
歩きながらアイデアを考える
19
ピザトースト
20
女子好物がまとめて並んだ日
コロッケ
ギョウザ
ガンモドキ
すぎて「やったー」
21
隅田川さんぽ
22
仏滅
北の丸公園さんぽ
26
あなご天、いってみた
うまうま
27
28
目の検査
眼科でかなりの精密検査。
まだ大丈夫だった。
29
大安
実家でまだメガネをかける
以前の小学生の自分をみつけた
9 September 2023
M T W T F S S
1 2 3
4 5 6 7 8 9 10
11 12 13 14 15 16 17
18 19 20 21 22 23 24
25 26 27 28 29 30
11 November 2023
M T W T F S S
1 2 3 4 5
6 7 8 9 10 11 12
13 14 15 16 17 18 19
20 21 22 23 24 25 26
27 28 29 30
ハヤテノコウジの
マンスリージャーナル
歩く旅とおいしいものと

11 November 2023

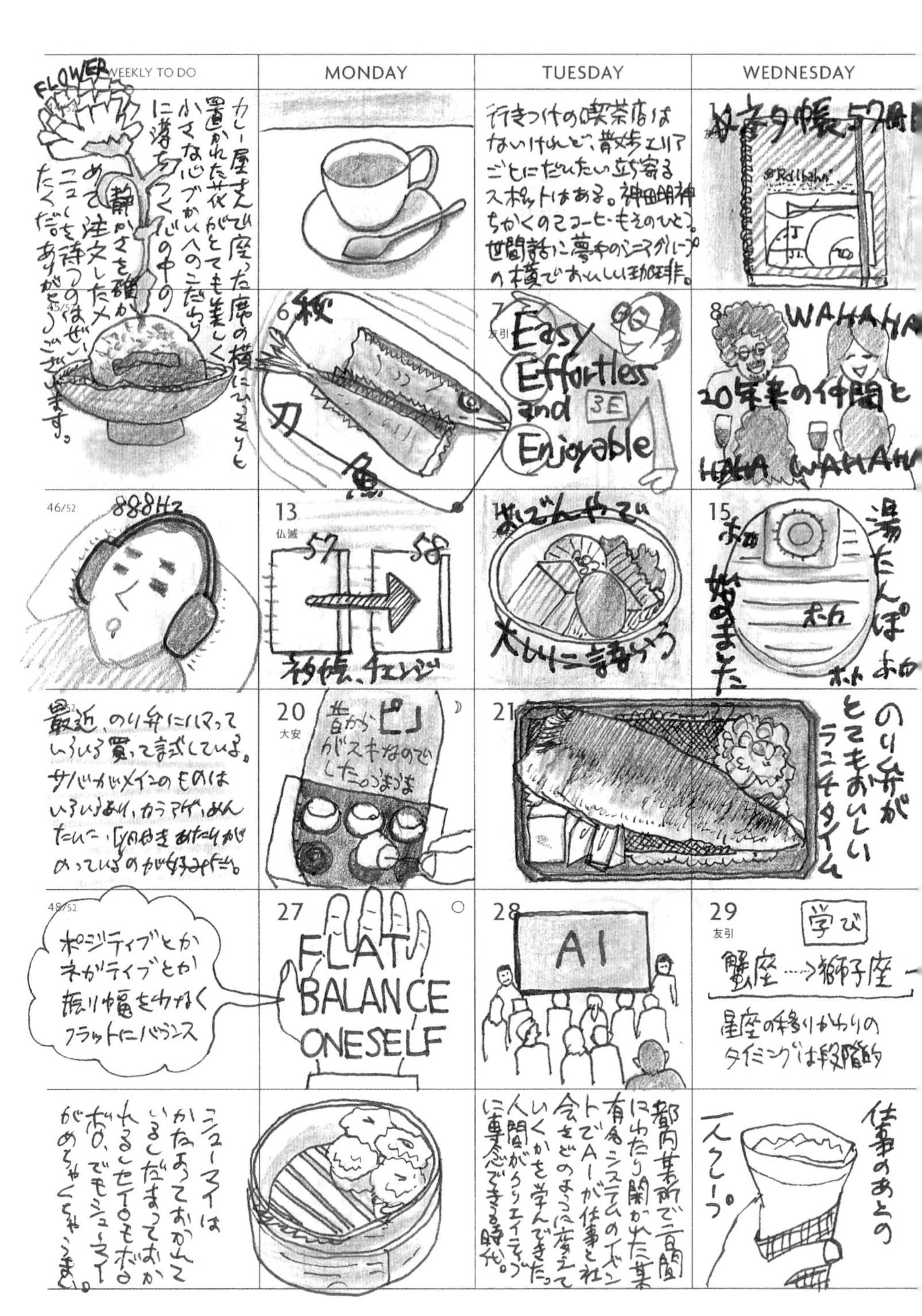

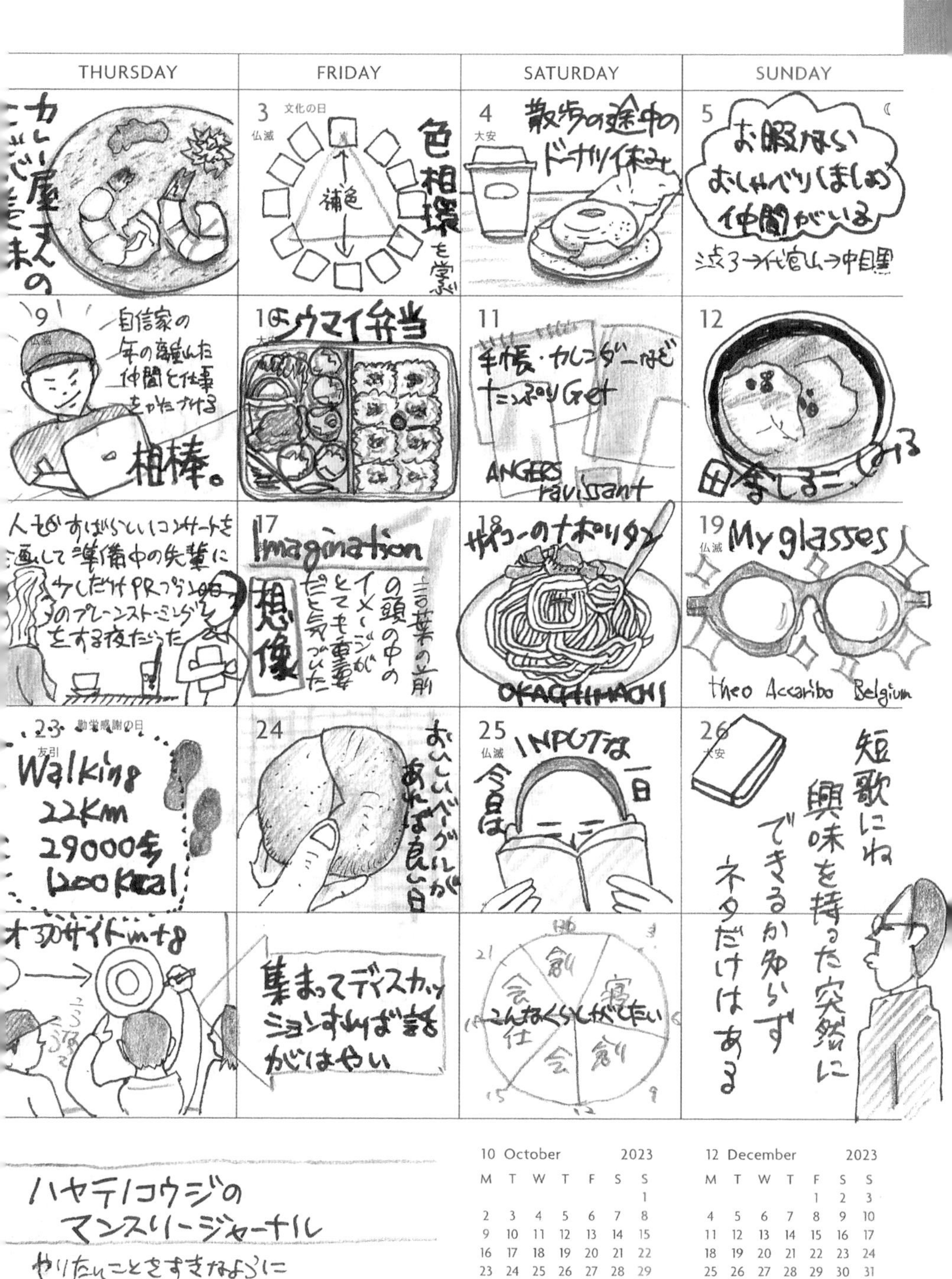

10 October 2023

M	T	W	T	F	S	S
						1
2	3	4	5	6	7	8
9	10	11	12	13	14	15
16	17	18	19	20	21	22
23	24	25	26	27	28	29
30	31					

12 December 2023

M	T	W	T	F	S	S
				1	2	3
4	5	6	7	8	9	10
11	12	13	14	15	16	17
18	19	20	21	22	23	24
25	26	27	28	29	30	31

12 December 2023

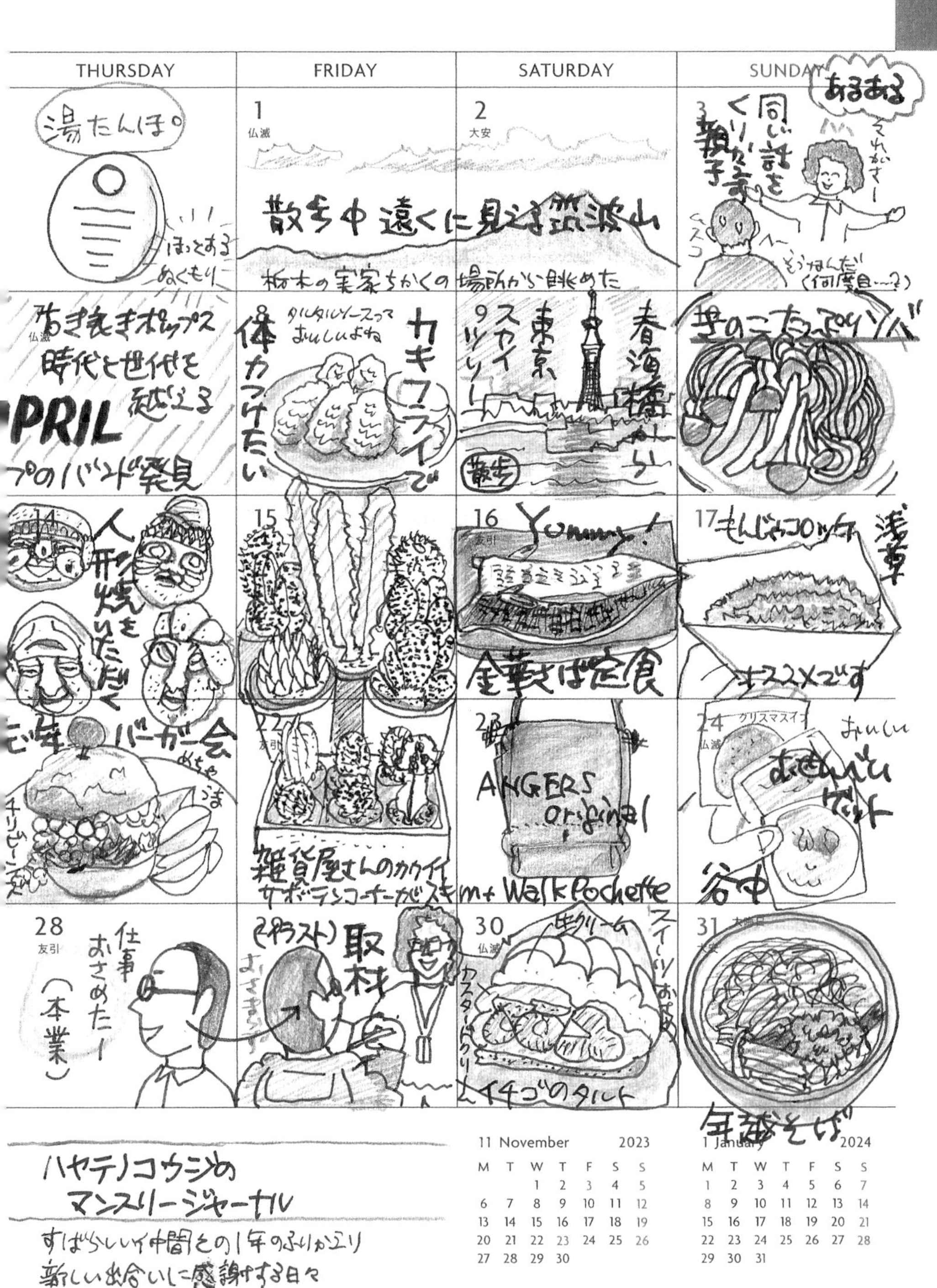
THURSDAY
FRIDAY
SATURDAY
SUNDAY
湯たんぽ
ほっとする
ぬくもり
1
仏滅
2
大安
散歩中 遠くに見える筑波山
栃木の実家ちかくの場所から眺めた
3
あるある
同じ話をくりかえす親子です
それがさー
へ～
そうなんだ（何度目…？）
7
仏滅
古き良きポップス
時代と世代を越える
PRIL
プのバンド発見
8
体カつけたい
タルタルソースって
おいしいよね
カキフライで
9
スカイツリー
東京
春海橋から
散歩
10
きのこたっぷりソバ
14
人形焼をいただく
15
16
友引
Yummy!
金華さば定食
17
もんじゃコロッケ
浅草
オススメです
21
忘年バーガー会
めちゃうま
チリビーンズ
22
友引
雑貨屋さんのカワイイサボテンコーナーがスキ
23
ANGERS
original
m+ Walk Pochette
24
仏滅
クリスマスイブ
おいしい
おせんべいセット
谷中
28
友引
仕事おさめたー（本業）
29
（イラスト）取材
30
仏滅
生クリーム
スイートポテト
カスタードクリーム
イチゴのタルト
31
大安
年越そば
11 November 2023
M T W T F S S
1 2 3 4 5
6 7 8 9 10 11 12
13 14 15 16 17 18 19
20 21 22 23 24 25 26
27 28 29 30
1 January 2024
M T W T F S S
1 2 3 4 5 6 7
8 9 10 11 12 13 14
15 16 17 18 19 20 21
22 23 24 25 26 27 28
29 30 31
ハヤテノコウジの
マンスリージャーナル
すばらしい仲間との1年のふりかえり
新しい出会いに感謝する日々

おわりに

「何か絵を描きたい」と思ったら、
身近な文具を使った創作活動、
簡単で楽しいスケッチジャーナルが最適解

何か創作をしてみたい、絵を描いてみたい。自分の生活で見たものをスケッチをしてみたい。日常の様子を絵日記にまとめてみたい。旅の記録をノートに書いてみたい。この本を手に取ったあなたは、どんな「やりたい！」を持っているでしょうか。それらを始めるのにオススメしたいアイデアが「スケッチジャーナル」です。

スケッチジャーナルは「手帳やノート等の身近なツールを使って、作者の人生を記録する日誌（Journal）」と定義しています。2007年からモレスキンという手帳を使って始めたこの創作スタイルは、始めたころは絵日記や旅日記という表現を使ってきました。そのうちに海外の同好のアーティストたちのハッシュタグを見ていたところ、「Sketch journal」という言葉を見つけたので、こちらを採用しました。海外では「Visual recording」や「Visual journal」といった表現もされています。

作品が完成した時はとて嬉しくて、その途中段階も楽しくて、最初の材料集めやアイデアを考える瞬間もワクワクする。だから私はずっと創作を続けることができました。

あなたもP.010の「スケッチジャーナル説明書」の用法・用量を守って、ぜひスケッチジャーナル生活を満喫してください。この本が創作への没頭のきっかけになれば幸いです。

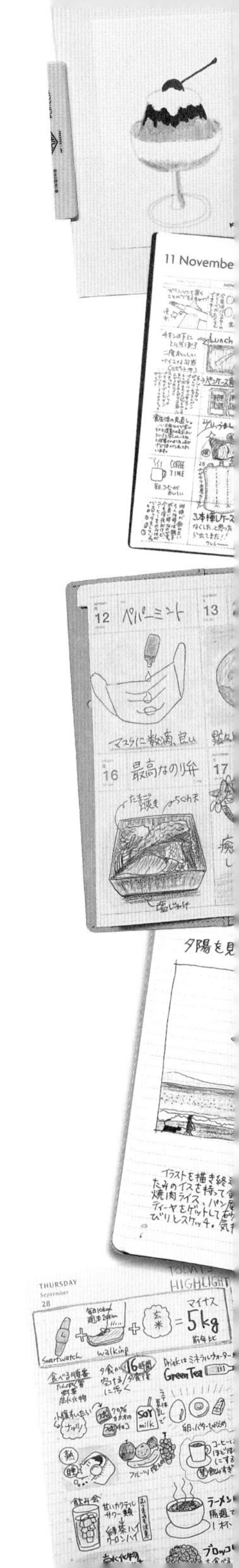

Sketch Journal
BEGINNERS

著 **ハヤテノコウジ**

散歩と文具とスケッチ好きの東京在住イラストレーター。栃木県栃木市（蔵の街）生まれ。平日はIT系の会社員で日々奮闘しながら、オフタイムは自分の人生を楽しむためのスケッチジャーナル作りをライフワークにして暮らしている。休日は1日20キロを歩くほど散歩に夢中。お気に入りのエリアは蔵前などの隅田川沿いの街。好物は玄米と担々麺と餃子。スケッチするためのスナップ写真やメモを大量に記録している。著書に『東京 わざわざ行きたい街の文具屋さん』(G.B.)、『スケッチジャーナル 自分の暮らしに「いいね！」する創作ノート』(G.B.)がある。ウェブメディアや雑誌、書籍、教科書などへの執筆協力や作品提供を行う。

公式サイト：https://www.koujihayateno.com

STAFF

アートディレクター………山口喜秀（Q.design）
DTP………G.B. Design House
撮影………宗野 歩
校正………東京出版サービスセンター
営業………峯尾良久、長谷川みを、出口圭美

スケッチジャーナル・ビギナーズ

「ありのまま思考」の創作ノート

初版発行　2024年4月30日

著者　ハヤテノコウジ

編集発行人　坂尾昌昭
発行所　株式会社 G.B.
〒102-0072 東京都千代田区飯田橋 4-1-5
電話　03-3221-8013（営業・編集）
FAX　03-3221-8814（ご注文）
URL　https://www.gbnet.co.jp
印刷所　株式会社光邦

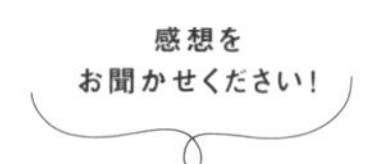

ISBN 978-4-910428-43-7